DESENVOLVIMENTO METALINGUÍSTICO

Questões contemporâneas

MÁRCIA DA MOTA
(Org.)

DESENVOLVIMENTO METALINGUÍSTICO

Questões contemporâneas

Casa do Psicólogo®

© 2009 Casapsi Livraria, Editora e Gráfica Ltda.
É proibida a reprodução total ou parcial desta publicação, para qualquer finalidade, sem autorização por escrito dos editores.

1ª edição
2009

Editores
Ingo Bernd Güntert e Christiane Gradvohl Colas

Assistente Editorial
Aparecida Ferraz da Silva

Capa
Rafaela Nogueira da Costa

Produção Gráfica
Ana Karina Rodrigues Caetano

Editoração Eletrônica
Sergio Gzeschnik

Preparação de original
Sueli Vasconcelos

Revisão
Flavia Okumura Bortolon

Dados Internacionais de Catalogação na Publicação (CIP)
(Câmara Brasileira do Livro, SP, Brasil)

Desenvolvimento metalinguístico: questões contemporâneas / Márcia da Mota (org.) — São Paulo: Casa do Psicólogo®, 2009.

Vários autores
Bibliografia.
ISBN 978-85-7396-640-4

1. Alfabetização 2. Escrita 3. Leitura - Pesquisa 4. Metalinguagem 5. Psicologia educacional I. Mota, Márcia da.

09-02669   CDD-370.1523

Índices para catálogo sistemático:

1. Metalinguagem e aprendizagem da linguagem escrita: Psicologia educacional 370.1523

Impresso no Brasil / *Printed in Brazil*

Reservados todos os direitos de publicação em língua portuguesa à

Casapsi Livraria, Editora e Gráfica Ltda.
Rua Santo Antônio, 1010
Jardim México - CEP 13253-400
Itatiba/SP Brasil
Tel.: (11) 4524-6997 Site: www.casadopsicologo.com.br

Sumário

Prefácio, por *Márcia da Mota* 7

Introdução - Desenvolvimento Metalinguístico 9
   Márcia da Mota

Capítulo 1 - A consciência fonológica e sua importância para a aquisição da linguagem escrita 19
   Alessandra Gotuzo Seabra Capovilla, Fernando César Capovilla

Capítulo 2 - A consciência morfológica é um conceito unitário? 41
   Márcia da Mota

Capítulo 3 - Habilidades metalinguísticas relacionadas à sintaxe e à morfologia 55
   Jane Correa

Capítulo 4 - A consciência metatextual 77
   Alina Galvão Spinillo

Sobre os autores 115

Prefácio

Uma das áreas mais frutíferas de pesquisa sobre a alfabetização nos últimos anos tem sido a investigação sobre o papel das habilidades metalinguísticas no processo de aquisição da língua escrita. Há muito, pesquisadores da área discutem a necessidade de se congregar em uma única obra textos que poderiam reunir os principais achados das pesquisas recentes nesse campo e sistematizá-los de maneira a formar um panorama atual e coerente das principais tendências teórico-metodológicas nesse campo.

Neste livro tentamos atingir esse objetivo. Cada autor apresentou, para sua área de atuação, as principais tendências teóricas sobre o estudo das habilidades metalinguísticas, substanciando-as com resultados de pesquisas recentes no âmbito internacional e as contextualizando para realidade brasileira. Questões metodológicas também são discutidas. De forma que os textos dessa obra poderão ajudar estudantes e pesquisadores a terem uma visão geral do estado da arte nesse campo de conhecimento.

Juiz de fora, 26 de outubro de 2008.
Márcia da Mota

Introdução

Desenvolvimento Metalinguístico

Márcia da Mota
Universidade Federal de Juiz de Fora

Desde muito cedo as crianças são capazes de usar a linguagem de forma comunicativa. A análise das produções infantis nos diz que as crianças sabem muito a respeito dos aspectos fonológicos, morfológicos e sintáticos da língua, mas quando pedimos que as crianças explicitem esses conhecimentos elas apresentam muitas dificuldades. Isto ocorre porque explicitar o conhecimento linguístico envolve a manipulação intencional da língua, isto é, que ela seja tratada como objeto do pensamento.

A habilidade de se refletir sobre a linguagem como objeto do pensamento é chamada de habilidade metalinguística (Garton & Pratt, 1989). Os linguistas utilizam o termo metalinguagem, em geral, para se referir às atividades que envolvam a análise e descrição da língua. No entanto, do ponto de vista da psicolinguística, atividade metalinguística deve ser vista como a habilidade de se refletir não só sobre os aspectos formais da língua, mas também do ponto de vista dos processos cognitivos e metacognitivos envolvidos neste processamento (Gombert, 1992).

Pesquisadores interessados no conhecimento metalinguístico passaram boa parte da década de 1980 discutindo questões básicas sobre o seu desenvolvimento: a idade de aquisição, a relação entre esta habilidade e alfabetização, e as implicações pedagógicas dos resultados de pesquisa.

Hoje há um consenso relativo entre pesquisadores desta área de que o desenvolvimento metalinguístico está intrinsecamente relacionado com a alfabetização, isto é, com o desenvolvimento de habilidades de leitura e de escrita. Algum grau de reflexão sobre a linguagem é necessário para que a criança possa se alfabetizar, mas a habilidade realmente metalinguística é decorrente das aprendizagens explícitas próprias do contexto escolar (Gombert, 2003).

A esse grau inicial implícito de conhecimento metalinguístico, Gombert (1992) chamou de epilinguístico. A reflexão explícita sobre a linguagem seria a habilidade metalinguística propriamente dita. Embora haja muita controvérsia a respeito do que pode ser considerado conhecimento explícito ou implícito em psicologia, pesquisadores concordam que uma habilidade para ser definida como metalinguística precisa envolver uma reflexão consciente sobre a linguagem, e que o indivíduo explicitamente focalize sua atenção e manipule a linguagem de forma intencional (Bialystok, 1993; Gombert, 1992).

Entre as habilidades metalinguísticas, quatro parecem estar mais associadas à aquisição da língua escrita: a consciência fonológica, a consciência morfológica, a consciência sintática e consciência metatextual.

A consciência fonológica é a habilidade de se refletir sobre os sons que compõem a fala (Cardoso-Martins, 1995). O desenvolvimento desta habilidade tem sido muito estudado, inclusive no contexto do português do Brasil (Barrera & Maluf, 2003; Bradley & Bryant, 1985; Capovilla & Capovilla, 2000; Cardoso-Martins, 1995; Guimarães, 2003; Plaza & Cohen, 2004; Rego & Bryant, 1993; Tunmer, 1990).

A importância desta habilidade para o desenvolvimento reside na relação causal que as crianças têm com a alfabetização pois, capazes de refletir sobre os sons que compõem a fala, têm maior facilidade de aprender a ler e a escrever, e o treinamento desta habilidade ajuda na prevenção e no tratamento dos problemas de leitura (Bradley & Braynt, 1985). No primeiro capítulo deste livro, Alessandra e Fernando Capovilla discutem o estado da arte das pesquisas na área de consciência fonológica no Brasil e no mundo.

Outra habilidade metalinguística associada à alfabetização que será abordada neste livro é a consciência sintática. A consciência sintática envolve a habilidade de se refletir, manipular, e mostrar controle intencional sobre a sintaxe da língua (Gombert, 1992), e atua como facilitadora da leitura (Rego & Bryant, 1993; Plaza & Cohen, 2003; Tunmer, 1990).

A relação entre a consciência sintática, ou consciência gramatical, e a leitura e escrita é mais controversa do que a consciência fonológica: em primeiro lugar, o termo consciência sintática foi usado para tarefas que envolvem tanto aspectos mais gerais da sintaxe da língua, quanto para tarefas que envolvem aspectos morfossintáticos; em segundo lugar, a contribuição específica da consciência sintática para aquisição da alfabetização é motivo de debate.

Estudos longitudinais mostram uma associação entre a consciência sintática e a alfabetização (Rego & Bryant, 1993; Plaza & Cohen, 2003; Tunmer, 1990). No entanto, alguns autores como Bowey (2005), por exemplo, questionam o resultado destes estudos.

Bowey (2005) argumenta que estudos, que mostram a contribuição independente da sensibilidade à sintaxe da língua para alfabetização, em geral utilizam critérios pouco conservadores de controle de variáveis. No estudo de Bowey as tarefas utilizadas muitas vezes envolviam aspectos morfossintáticos. Embora os aspectos mais globais do processamento sintático das sentenças estivessem confundidos com aspectos morfológicos, o estudo de Bowey levanta questões importantes que merecem ser consideradas aqui.

Ao se estudar o valor preditivo das habilidades metalinguísticas para leitura, é importante que se controle o conhecimento inicial da leitura. Bowey (2005) argumenta que estudos que investigaram a contribuição da consciência sintática para alfabetização frequentemente incluem crianças com conhecimento rudimentar da língua escrita, e as tratam como não leitoras. Para Bowey isto acaba por aumentar artificialmente o efeito da consciência sintática no desempenho da leitura.

Usando um critério mais conservador, Bowey (2005) deu à crianças de quatro anos de idade, não leitoras, uma série de tarefas cognitivas, de processamento fonológico e de julgamento e correção de sentenças. Os resultados de Bowey mostraram que as tarefas de consciência sintática/morfossintática não contribuíram de forma independente para leitura e escrita, mas as tarefas de consciência fonológica sim.

As crianças no estudo de Bowey (2005) eram muito pequenas. É nossa opinião que embora a consciência sintática possa não ter o mesmo peso que a consciência fonológica no desenvolvimento da alfabetização, isto não quer dizer que essa contribuição não seja importante.

Plaza & Cohen (2003, 2004) investigaram a contribuição da consciência fonológica, consciência sintática e velocidade de nomeação para a aquisição da escrita e leitura de crianças em processo de alfabetização. O estudo de Plaza e Cohen também confundiu aspectos sintáticos com aspectos morfológicos, mas os resultados desse estudo mostram que as medidas de consciência sintática contribuíram para as medidas de leitura e escrita, mesmo depois de controlarem o efeito das outras duas medidas.

Embora as crianças neste estudo fossem mais velhas (6 anos aproximadamente), podemos concluir que a habilidade de se refletir sobre aspectos sintáticos/morfossintáticos contribui, ainda que não tão fortemente quanto à consciência fonológica, para o sucesso na alfabetização. Provavelmente a contribuição desta aquisição começa a ser mais efetiva depois que a criança adquire algum conhecimento sobre as regras de correspondência de sua língua, mas ainda assim essa contribuição pode ser observada.

Uma questão importante a respeito da contribuição da consciência sintática para alfabetização é a sua definição. É difícil separar os aspectos morfológicos dos sintáticos quando se investiga esta habilidade. Este assunto é tratado no segundo capítulo deste livro por Jane Correa. Especificamente, a autora discute a distinção entre consciência sintática e consciência morfossintática, apresentando uma proposta de delimitação conceitual para esses conceitos.

Antes de discutirmos a distinção conceitual entre consciência sintática e morfossintática, precisamos entender melhor a natureza do desenvolvimento da consciência morfológica. Consciência morfológica pode ser definida como a habilidade de refletir sobre os morfemas das palavras (Carlisle, 1995). Mann (2000) aponta duas razões pela qual o processamento morfológico é importante para leitura: a primeira diz respeito ao fato de que a escrita pode ser analisada em vários níveis, não só o fonológico; a segunda razão seria mais específica ao tipo de ortografia sendo estudado.

Diferentes ortografias têm diferentes características morfológicas e fonológicas. O principal argumento para explicar a relação encontrada entre o processamento morfológico e a alfabetização vem de pesquisas realizadas em falantes do inglês, língua nativa de Mann.

O princípio alfabético é o de que letras devem corresponder perfeitamente aos sons das palavras, mas as línguas alfabéticas variam quanto ao grau de correspondência entre as letras e os sons da fala. No inglês, essas relações são mais opacas do que em ortografias como o finlandês, o português ou o espanhol. Muitas das irregularidades encontradas no inglês podem ser explicadas pela estrutura morfológica das palavras (Chomsky & Halle, 1968; Sterling, 1991). Por exemplo, no inglês a palavra "heal" que rima com "il" e a palavra "health" que rima com "elf" têm a mesma origem semântica por isso são escritas da mesma forma, embora sejam pronunciadas de forma diferente.

Nas línguas com ortografias mais regulares o processamento morfológico pode não contribuir de forma significativa para aquisição e processamento da língua escrita, porque a maioria das palavras pode ser escrita aplicando-se o princípio alfabético. Lehtonen e Bryant (2005) ressaltam que embora este seja um argumento válido, a hipótese de que a consciência morfológica contribui para alfabetização nestas ortografias regulares também é pertinente. Os autores argumentam que esta é uma questão teórica que precisa ser mais bem investigada.

De fato, muitas evidências apresentadas mostram que o processamento morfológico contribui para alfabetização (Carlisle, 1988, 1995, 1996, 2000; Carlisle & Fleming, 2003). Mas o que queremos dizer quando falamos de consciência morfológica? Uma questão metodológica que se apresenta em relação ao estudo do processamento morfológico é que este pode não ser um conceito unitário. Isto é, nem todos os morfemas são iguais em termos de sua frequência de ocorrência, sua estrutura fonológica e características gramaticais. No primeiro capítulo desse livro Márcia da Mota discute a natureza de dois tipos de morfemas: os morfemas flexionais e os morfemas derivacionais, e sua relação com a aquisição da leitura e escrita.

Entre as habilidades metalinguísticas a menos investigada é a consciência metatextual. A consciência metatextual envolve refletir deliberadamente sobre a estrutura do texto, suas partes constituintes, suas convenções linguísticas e marcadores. Neste caso, como ocorre em relação a outras habilidades metalinguísticas, é necessário estabelecer a diferença entre usar o texto para fins comunicativos, e tratar o texto como objeto de reflexão – consciência metatextual. No último capítulo deste livro, Alina Spinillo discute o panorama atual das principais pesquisas sobre o desenvolvimento metatextual. A autora argumenta que para tentar compreender como se desenvolve a consciência metatextual é preciso caracterizar o percurso do desenvolvimento desta habilidade ao longo do tempo. No cerne desta discussão estão os conceitos de desenvolvimento epilinguístico e metalinguístico em relação a textos. A tentativa de caracterizar este desenvolvimento acaba por se constituir um desafio, considerando que as pesquisas nessa área são raras. A autora, entretanto, realiza uma revisão da literatura que, direta ou indiretamente, envolve a consciência metatextual, seja ela própria objeto de estudo da pesquisa ou coadjuvante na investigação de outros fenômenos da linguagem. A partir disso propõe um modelo de desenvolvimento da consciência metatextual, tomando por base a perspectiva de Gombert (1992; 2003) a respeito da consciência metalinguística, de maneira mais ampla. Ainda nesse capítulo, são abordadas questões educacionais acerca de como desenvolver a consciência metatextual. Nesse sentido, busca-se compreender o que pode propiciar o desenvolvimento desta habilidade. Ao longo do capítulo questões de natureza teórico-metodológicas e também aplicadas sobre o desenvolvimento da consciência metatextual são tratadas de forma clara e compreensiva pela autora.

Se aceitarmos a posição de Gombert (2003) de que algum grau de consciência metalinguística é necessário para se aprender a ler e escrever, e de que ao mesmo tempo a alfabetização tem um papel importante no desenvolvimento desta habilidade, as implicações educacionais dos estudos descritos nos capítulos que compõem este livro se tornam claras: desenvolvimento de habilidades metalinguísticas pode melhorar o desempenho das crianças na aprendizagem da leitura e da escrita.

De fato, as implicações dos estudos sobre o desenvolvimento metalinguístico para a educação são muito bem documentadas na literatura internacional e começam a despontar no cenário nacional. Estudos têm demonstrado que o desenvolvimento de habilidades metalinguísticas como a consciência fonológica (Bradley & Bryant, 1985, Capovilla & Cappovilla, 2000), consciência morfológica (Nunes & Bryant, 2006), e consciência metatextual (Ferreira & Spinillo, 2003; Spinillo & Pratt, 2005; Spinillo & Simões, 2003) contribuem para o bom desempenho das crianças na aprendizagem da leitura e escrita. No entanto, na medida em que as pesquisas neste campo avançam, questões teórico-metodológicas vão surgindo. Assim, os capítulos desse livro foram organizados pretendendo uma revisão abrangente das pesquisas sobre o desenvolvimento metalinguístico no Brasil e no exterior, informando e apresentando ao leitor uma visão atualizada e crítica deste desenvolvimento.

REFERÊNCIAS

BARRERA, S. & MALUF, M. R. Consciência metalinguística e alfabetização: um estudo com crianças da primeira série do ensino fundamental. *Psicologia: reflexão e crítica*, 2003, 16 (3), p. 491-502.

BIALYSTOK, E. Metalinguistic awareness: the development of children's representations of language. In: C. Pratt & A. F. Garton (Orgs). *Systems of representation in children*: Development and use. New York: Wiley, 1993, p. 211-233.

BRADLEY, L. & BRYANT, P. *Children's reading problem*. Oxford: Basil Blackwells, 1985.

BOWEY, J. Grammatical sensitivity: its origins and potential contribution to early reading skill. *Journal of Experimental Child Psychology*, 2005, 90, p. 318-343.

CAPOVILLA, A. & CAPOVILLA, F. Efeitos do treino de consciência fonológica em crianças com baixo nível sócio-econômico. *Psicologia: reflexão e crítica*, 2000, 13 (1), p. 7-24.

CARDOSO-MARTINS, C. *Consciência fonológica e alfabetização*. Petrópolis: Vozes, 1995.

CARLISE, J. Knowledge of derivational morphology and spelling ability in fourth, six, and eight graders. *Applied Psycholinguistics*, 1988, 9, p. 247-266.

_____. Morphological awareness and early reading achievement. In: L. Feldman (org.) *Morphological aspects of language processing*. Hillsdale: Lawrence Erlbaum Associates, 1995, p.189-211.

_____. An exploratory study of morphological errors in children's written stories. *Reading and writing: an interdisciplinary journal*, 1996, 8, p.61-72.

_____. Awareness of the structure and meaning of morphologically complex words: impact on reading. *Reading and writing: an interdisciplinary journal*, 2000, 12, p. 169-190.

CARLISE, J. & FLEMING, J. Lexical processing of morphologically complex words in the elementary years. *Scientific studies of reading*, 2003, 7(3), p. 239-253.

CARLISE, J., STONE, C. & KATZ, L. The effects of phonological transparency on reading derived words. *Annals of Dyslexia*, 2001, 51, p. 249-274.

CHOMSKY, C.; HALLE, M. *The sound pattern of english*. New York: Harper & Row, 1968.

COLÉ, P. et al. Morphologie des mots et apprentissage de la lecture. *Reeducation Orthophonic*, 2003, 213, p. 57-60.

DEACON, S. & BRYANT, P. What young children do and do not know about the spelling of inflections and derivations. *Developmental Science*, 2005, 8(6), p. 583-594.

DEMONT, E. & GOMBERT, J. E. Lapprentissage de la lecture: evolution des precédures et apprentissage implicite. *Enfance*, 2004, 3, p. 245-257.

FERREIRA, A. L. & SPINILLO, A. G. Desenvolvendo a habilidade de produção de textos em crianças a partir da consciência metatextual. In: M. R. Maluf (Org.), *Metalinguagem e aquisição da escrita: contribuições da pesquisa para a prática da alfabetização*. São Paulo: Casa do Psicólogo, 2003, p 119-148.

GARTON, A. & PRATT, C. *Learning to be literate: the development of spoken & written language*. Oxford: Basil Blackwell, 1989.

GOMBERT, J. *Metalinguistic development*. Hertfordshire: Harverster Whesheaf, 1992.

_____. Atividades metalinguísticas e aquisição da leitura. In: M. R. Maluf (org.). *Metalinguagem e aquisição da escrita*. São Paulo: Casa do Psicólogo, 2003, p. 19-64.

GUIMARÃES, S. Dificuldades no desenvolvimento da lectoescrita: o papel das habilidades metalinguísticas. *Psicologia: teoria e pesquisa*, 2003, 19 (1), p.33-45.

LEHTONEN, A. & BRYANT, P. Active players or just passive bystanders? The role of morphemes in spelling development in a transparent orthography. *Applied psycholinguistics*, 2005, 26(2), p. 137-155.

MANN, V. Introduction to special issue on morphology and the acquisition of alphabetic writing systems. *Reading and Writing: an Interdisciplinary Journal*, 2000, 12, p. 143-147.

MAREC-BRETON, N. & GOMBERT, J. A dimensão morfológica nos principais modelos de aprendizagem da leitura. In: M. R Maluf (org.). *Psicologia Educacional – questões contemporâneas*. Casa do Psicólogo: 2004, p. 105-121.

MOTA, M. *Children´s role of grammatical rules in spelling*. Tese de doutorado não publicada, departamento de Psicologia Experimental, Universidade de Oxford, Inglaterra, 1996.

NUNES, T. & BRYANT, P. *Improving literacy by teaching morphemes*. London: Routledge, 2006.

PLAZA, M. & COHEN, H. The interaction between phonological processing, syntactic awareness, and naming speed in the reading and spelling performance of first-grade children. *Brain and Cognition*, 2003, 53, p. 257-292.

_____. Predictive influence of phonological processing, morphological/syntactic skill, and naming speed on spelling performance. *Brain and Cognition*, 2004, 55, p. 368-373.

REGO, L.; BRYANT, P. The connections between phonological, syntactic and semantic skills and children's reading and spelling. *European Journal of psychology*, 1993, n. 3, p. 235-246.

SPINILLO, A. G. & PRATT, C. Sociocultural differences in children's genre knowledge. In: T. Kostouli (org.), *Writing in context(s): textual practices and learning processes in sociocultural settings*. New York: Springer, 2005, p. 27-48.

SPINILLO, A. G. & SIMÕES, P. M. U. O desenvolvimento da consciência metatextual em crianças: Questões conceituais, metodológicas e resultados de pesquisas. *Psicologia: Reflexão e Crítica*, 2003, 16 (3), p. 537-546.

STERLING, C. Introduction to the psichology of spelling. In. Sterling, C. & Robson, C. (Org.), *Psychology, Spelling & Education*. Clevedon: Multilingual Matters, 1991, p. 1-15.

TUNMER, W. O desenvolvimento da consciência metatextual em crianças: questões conceituais, metodológicas e resultados de pesquisas. The role of language prediction skills in beginning reading. *New Zealand Journal of Educational Studies*, 1990, 25, (2), p. 95-112.

CAPÍTULO 1

A consciência fonológica e sua importância para a aquisição da linguagem escrita

Alessandra Gotuzo Seabra Capovilla
(Universidade São Francisco)

Fernando César Capovilla
(Universidade de São Paulo)

A consciência fonológica refere-se à consciência de que a fala pode ser segmentada e à habilidade de manipular tais segmentos (Bertelson & De Gelder, 1989; Blischak, 1994). Nos últimos trinta anos, tem sido reconhecida a sua importância para o domínio de sistemas de escrita alfabéticos (Cardoso-Martins, 1995; Gibson, Hogben & Fletcher, 2006; Jenkins & Bowen, 1994; Maluf & Barrera, 1997; McGuinness, 2006; Roazzi & Dowker, 1989; Simos et al., 2001). De fato, um grande número de estudos tem relatado que a habilidade de estar conscientemente atento aos sons da fala correlaciona-se com o sucesso na aquisição da leitura e escrita (e.g., Heath &

Hogben, 2004; Lundberg, Frost, & Petersen, 1988; Stanovich, Cunningham, & Cramer, 1984; Wimmer, Landerl, Linortner, & Hummer, 1991; Yopp, 1988). Além disso, uma série de pesquisas tem relatado que atividades para o desenvolvimento explícito de consciência fonológica facilitam a aquisição da linguagem escrita (e.g., Baker & Bernhardt, 2004; Capovilla & Capovilla, 2007; Ramos-Sánchez & Cuadrado-Gordillo, 2004; Schneider, Roth & Ennemoser, 2000; Temple et al., 2003; Warrick, Rubin, & Rowe-Walsh, 1993).

A consciência fonológica é um tipo de consciência metalinguística. Segundo Tunmer e Cole (1985), consciência metalinguística é a habilidade de desempenhar operações mentais sobre o que é produzido por mecanismos mentais envolvidos na compreensão de sentenças. Portanto, a consciência metalinguística envolve tanto a consciência de certas propriedades da linguagem quanto a habilidade de tomar as formas linguísticas como objeto de análise. Tal habilidade metalinguística diferencia-se das habilidades linguísticas, tal como a percepção ou a discriminação fonêmica, i.e., a capacidade de discriminar entre pares de estímulos que diferem em apenas um fonema ou em um traço fonético (Kolinsky, no prelo). Enquanto tais habilidades linguísticas são não conscientes e não intencionais, as habilidades metalinguísticas são conscientes, intencionais e necessitam de instrução formal para serem adquiridas, o que ocorre, de modo geral, em paralelo à aquisição da leitura (Gombert, 2003). Por exemplo, uma criança não alfabetizada e um adulto analfabeto conseguem discriminar funcionalmente entre as palavras "pato" e "rato", mas são incapazes de intencionalmente contar o número de fonemas de cada uma dessas palavras, ou mesmo de manipulá-los.

Segundo Blischak (1994), durante seu processo de desenvolvimento a criança pode tornar-se consciente de frases, palavras, sílabas e fonemas como unidades separadas. A consciência da fonologia, ou do sistema sonoro da língua, desenvolve-se, portanto, gradualmente, à medida que a criança vai se tornando consciente de palavras, sílabas e fonemas como unidades identificáveis (Maluf & Barrera, 1997; Supple, 1986).

O termo consciência fonológica é usado para fazer referência à consciência geral de segmentos nos níveis de palavra e subpalavra – rimas, aliterações, sílabas e fonemas-, enquanto o termo consciência fonêmica é usado em referência específica à consciência de fonemas (McGuinness, 2006). O desenvolvimento da consciência fonológica nem sempre ocorre na ordem citada. Jenkins e Bowen (1994), por exemplo, relatam casos de crianças em que a consciência silábica emergiu antes da consciência de palavras. Porém, parece ser consenso que a última habilidade a surgir é a consciência fonêmica.

Estudos têm evidenciado que a consciência de segmentos suprafonêmicos desenvolve-se espontaneamente, o que não ocorre com a consciência fonêmica, que parece ser uma habilidade mais complexa (Blischak, 1994; Carroll, Snowling, Stevenson & Hulme, 2003; Morais et al., 1986; Thatcher, 2003). De fato, há evidência de que crianças pequenas têm muito maior consciência de sílabas, aliterações e rimas do que de fonemas (Bertelson & De Gelder, 1989; Blischak, 1994). Na verdade, enquanto a consciência de segmentos suprafonêmicos parece desenvolver-se espontaneamente, a consciência fonêmica não (Carroll, Snowling, Stevenson & Hulme, 2003; Thatcher, 2003). Em vez disso, a consciência fonêmica parece requerer experiências específicas além da mera exposição aos conceitos de rima e aliteração.

Liberman et al. (1974) foram provavelmente os primeiros psicólogos a avaliar a habilidade de segmentar sílabas e fonemas em crianças pequenas de quatro, cinco e seis anos de idade. Em seu estudo, as crianças apresentaram maior dificuldade na tarefa de segmentação de fonemas do que na de segmentação de sílabas, para todas as idades. Assim, na prova de segmentação de sílabas, o acerto ficou em torno de 50% para crianças de quatro e cinco anos, e 90% para crianças de seis anos. Em relação à segmentação de fonemas, o acerto foi zero, 17% e 70% para crianças de quatro, cinco e seis anos, respectivamente.

De acordo com Liberman et al. (1967), a precedência da consciência suprafonêmica em relação à consciência fonêmica é devida ao fato de que sílabas isoladas e outros segmentos mais amplos são manifestados como unidades discretas na fala, enquanto que fonemas isolados não o são. Fonemas só se tornam manifestos como unidades discretas na fala quando eles se associam a outros fonemas e formam unidades discretas maiores (Barrera, 2003). Como aponta Morais (1995), alguns fonemas não são segmentos acústicos independentes. Portanto, de modo a ser capaz de identificar e manipular fonemas individuais, a criança precisa receber treino explícito sobre regras de mapeamento da escrita alfabética, isto é, o ensino formal e sistemático da correspondência entre os elementos fonêmicos da fala e os elementos grafêmicos da escrita (Jenkins & Bowen, 1994).

O tipo de consciência fonológica promovido pela instrução de leitura depende do tipo de sistema de escrita que está sendo ensinado: a consciência fonêmica só parece ser alcançada com a introdução de um sistema alfabético, mas não com a de um sistema silábico ou ideográfico. Conforme relatado por Read et al. (1986), por exemplo, chineses conhecedores de ortografias alfabéticas obtiveram sucesso em tarefas de adição e subtração de fonemas, mas chineses conhecedores apenas de ortografias ideográficas não foram capazes de realizar tais tarefas. De modo consistente com tais achados, Morais et al. (1979) relataram que adultos portugueses analfabetos desempenharam-se pobremente em tarefas de manipulação fonêmica, sendo que adultos que possuíam algum grau de alfabetização desempenharam-se consideravelmente melhor. Porém, não houve diferenças significativas entre alfabetizados e analfabetos numa tarefa de julgamento de rimas. Resultados como estes sugerem que adultos analfabetos não conseguem analisar a fala em fonemas, e que a consciência fonêmica da estrutura da linguagem não emerge espontaneamente (Lundberg et al., 1988).

Alégria, Leybaert e Mousty (1997) enfatizam que a tomada de consciência de que a fala possui uma estrutura fonêmica subjacente é essencial para a aquisição da leitura, pois esta estrutura permite utilizar um sistema gerativo que converte a ortografia em fonologia, o que permite à criança ler qualquer palavra nova, apesar de cometer erros em palavras irregulares. Tal geratividade, característica das ortografias alfabéticas, permite a autoaprendizagem pelo leitor, pois ao se deparar com uma palavra nova, ele a lerá por decodificação fonológica. Este processo aos poucos contribuirá para criar uma representação ortográfica daquela palavra que poderá então ser lida pela rota lexical. Ou seja, o próprio processo fonológico é que possibilita a posterior leitura lexical (Share, 1995).

Tal geratividade possibilitada pela decodificação fonológica na leitura inicial é estimulada pelos métodos fônicos de alfabetização, em oposição aos métodos globais. Segundo McGuinness (2006), Morais (1995), Hempenstall (1997) e Lemann (1997), dentre outros, os trabalhos de pesquisa mais rigorosos são unânimes em demonstrar que os métodos de ensino que englobam a instrução direta e explícita do código alfabético são os que apresentam os melhores resultados. Essa superioridade dos métodos fônicos é ainda mais evidente no caso de crianças de classes sociais desfavorecidas (Stahl & Kuhn, 1995; Vellutino, 1991; Yates, 1988), que não dispõem de uma estrutura familiar que incentive a leitura e a escrita, e forneça as condições básicas para que elas ocorram (e.g., leitura de estórias para as crianças e contato com texto escrito).

A importância da leitura fonológica nos estágios iniciais da leitura é corroborada por estudos como o de Freebody e Byrne (1988). De acordo com eles, dois terços das crianças de 2ª e 3ª séries primárias apresentam desempenhos comparáveis em leitura fonológica e lexical, ou seja, elas são boas em ambas ou fracas em ambas. Contudo, um terço das crianças tendem a ser ou fortes na leitura fonológica e fracas na lexical, ou fracas na leitura fonológica e fortes na lexical. Os autores chamaram as primeiras de leitores "fenícios", e as últimas de leitores "chineses". Na 2ª série, a pontuação de compreensão de leitura obtida pelos leitores "chineses" é maior que a dos leitores "fenícios". No entanto, da 3ª série em diante, o padrão tende a se inverter. Ou seja, a longo prazo, um estilo de leitura "fenício" é muito mais vantajoso que um estilo de leitura "chinês". Tal tendência a um melhor desempenho dos leitores "fenícios" permaneceu num estudo de acompanhamento, i.e., *follow-up*, conduzido um ano depois (Byrne, Freebody, & Gates, 1992). Em tarefas de leitura envolvendo tanto palavras grafofonemicamente regulares quanto irregulares, enquanto a habilidade relativa dos leitores "fenícios" ainda continuava mais alta e melhorava cada vez mais, a dos "chineses" permanecia inferior, e estava ficando relativamente pior.

A explicação para tal achado é que as crianças "chinesas" aprenderam a ler por associação entre a forma visual inteira da palavra escrita e sua forma ouvida correspondente, e não pelo mecanismo gerativo da decodificação fonológica. O padrão de leitura logográfica resultante funciona apenas enquanto os requisitos de leitura forem ainda tão baixos e elementares que o universo de palavras a serem lidas pode ser armazenado visualmente, ou então eficazmente adivinhado recorrendo ao contexto da estória ou enredo. Entretanto, à medida que a criança progride da 2ª para a 3ª série e desta para a 4ª e 5ª séries, os requisitos formais de leitura (e.g., vocabulário, gramática) aumentam, de modo a sobrecarregar irremediavelmente a capacidade da memória em armazenar representações logográficas. Paralelamente, os mecanismos de adivinhação pelo contexto tornam-se cada vez menos eficazes, o que resulta numa grande dificuldade em ler e apreender conhecimentos novos.

Por outro lado, a esta altura, as crianças "fenícias" que aprenderam a ler por meio da decodificação fonológica, depois de tornarem-se mais e mais proficientes em tal mecanismo gerativo, leem a velocidades progressivamente maiores, acumulam maiores vocabulários e, assim, alcançam níveis de compreensão de leitura cada vez mais elevados. Dados como estes são fortes evidências corroborativas da importância da rota fonológica e da consciência fonológica para o desenvolvimento da leitura.

De fato, a instrução direta da consciência fonológica, combinada à instrução da correspondência grafema-fonema, acelera a aquisição da leitura (Ball & Blachman, 1991; McGuinness, 2006). Quando as crianças estão aprendendo a ler, a consciência fonológica as auxilia no processo de decodificar palavras, facilitando assim sua compreensão de leitura (Tunmer, Herriman, & Nesdale, 1988). Geralmente, ao término da 1ª série as crianças já são capazes de combinar e segmentar sons em palavras faladas (O'Connor, Jenkins, Leicester, & Slocum, 1993).

Estudos têm demonstrado que a aquisição da leitura e da escrita em português está fortemente relacionada à sensibilidade aos segmentos silábicos e fonêmicos (Capovilla & Capovilla, 1996; Cardoso-Martins, 1991; Maluf & Barrera, 1997), mas bem menos à sensibilidade à rima ou à aliteração (Cardoso-Martins, 1995). Isto pode ser devido às propriedades da ortografia portuguesa, em que as unidades silábicas são mais importantes que as unidades de aliteração e de rima.

Goswami e Bryant (1990) explicaram porque a habilidade de detectar rima é importante para a leitura em inglês, e Cardoso-Martins (1995) explicou porque essa habilidade é menos importante em português do que em inglês. Em inglês, a maioria das palavras que as crianças encontram nos livros iniciais de leitura é monossilábica (Ehri, 1986). Por outro lado, em português há uma preponderância de palavras multissilábicas paroxítonas, e as palavras mais frequentes nos livros iniciais de leitura para crianças são paroxítonas bissílabas e trissílabas (Pinheiro & Keys, 1987). Na maior parte dessas palavras, as rimas não correspondem a segmentos intrassilábicos, mas sim a segmentos maiores do que as sílabas. Por exemplo, no par de palavras "pescoço e caroço", a rima corresponde ao segmento "oco". Assim, a habilidade de discriminar rimas não parece envolver a habilidade de discriminar segmentos fonêmicos de palavras. De acordo com Cardoso-Martins (1995), tal característica pode explicar o fraco relacionamento que tem sido encontrado entre a sensibilidade à rima e a aquisição subsequente de leitura e escrita no português. No estudo de Barrera (1995), também realizado com crianças brasileiras, foi encontrada uma correlação positiva significativa entre o desempenho em tarefas de consciência fonológica e a aquisição da escrita.

Há evidências, por outro lado, de que os processos de conscientização fonológica e de aquisição de leitura e escrita são recíprocos, facilitando-se mutuamente (Grégoire, 1997). Tal reciprocidade deve-se ao fato de que tanto a leitura quanto a consciência fonológica são processos complexos que envolvem uma série de habilidades elementares. Os estágios iniciais da consciência fonológica (e.g., consciência de rimas e sílabas) contribuem para o desenvolvimento dos estágios iniciais do processo de leitura. Por sua vez, as habilidades desenvolvidas na leitura contribuem para o desenvolvimento de habilidades de consciência fonológica mais complexas, tais como as de manipulação e transposição fonêmicas.

Estudos têm buscado aprofundar a compreensão sobre as relações entre consciência fonológica e linguagem escrita (Foy & Mann, 2001; Grégoire, 1997; Perfetti, Beck, Bell & Hughes, 1987). Isto porque, visto que tanto a consciência fonológica quanto a leitura e a escrita são habilidades complexas, diferentes componentes de tais habilidades podem estar mais fortemente relacionados entre si. Assim, a relação entre consciência fonológica e aquisição da linguagem escrita não é unilateral, mas sim recíproca. Segundo Alégria et al. (1997), níveis elementares de consciência fonológica propiciam o desenvolvimento de níveis elementares de leitura e escrita que, por sua vez, propiciam o desenvolvimento de níveis mais complexos de consciência fonológica, e assim por diante, em uma interação recíproca. Pesquisas sugerem, por exemplo, que atividades de síntese de fonemas facilitam o desenvolvimento da leitura de pseudopalavras, enquanto esta, por sua vez, facilita a subtração de fonemas (Perfetti et al., 1987).

Demont (1997) investigou a relação entre seis diferentes componentes da consciência fonológica e leitura em um estudo longitudinal, com crianças francesas. Foram aplicadas provas de contagem, manipulação e transposição de sílabas e de fonemas, bem como provas de leitura em cinco diferentes momentos ao longo de três anos, em que as crianças tinham de seis a oito anos de idade. Os resultados revelaram que a correlação entre leitura e consciência fonológica tendeu a diminuir com o aumento da idade das crianças, e que os subtestes de manipulação foram os que apresentaram correlações mais fortes com leitura.

Também no estudo de Capovilla, Dias e Montiel (2007) foram avaliados dez diferentes componentes da consciência fonológica e correlacionados com nota escolar em crianças de 1ª a 4ª série do ensino fundamental. Observou-se que as correlações entre componentes fonêmicos e suprafonêmicos foram de baixas a moderadas, revelando certa independência entre diferentes níveis de consciência fonológica. O estudo demonstrou, ainda, que a relação entre consciência fonológica e nota escolar mudou com a progressão das séries. Assim, o escore geral em consciência fonológica apresentou correlação positiva significativa com nota em todas as quatro séries escolares, porém tal correlação tendeu a diminuir com o passar das séries, o que também foi observado por Demont (1997). Isto pode sugerir que as habilidades de consciência fonológica apresentam maior importância relativa para a nota no início da alfabetização, visto que a leitura nas séries iniciais é mediada basicamente pela estratégia fonológica (Frith, 1985). Por outro lado, na 3ª e 4ª séries, em que as correlações entre consciência fonológica e notas escolares apresentaram-se mais modestas, pode-se inferir que estes estudantes estejam utilizando outra estratégia de leitura, tal como a lexical.

O mesmo tendeu a ocorrer com os escores na maioria dos subtestes, ou seja, de forma geral, as correlações entre os subtestes e a nota tenderam a diminuir com a progressão escolar. Dentre os quatro subtestes mais fáceis, três deixaram de ter correlação significativa com nota na 4ª série, a saber: segmentação silábica, segmentação fonêmica e rima. Por outro lado, o subteste mais difícil da prova, de transposição fonêmica, teve sua correlação com nota aumentada da 1ª para a 4ª série. Desta forma, as correlações entre nota escolar e escores para cada série revelaram diferentes padrões, sendo que a maior correlação com a nota tendeu a ser com subtestes mais fáceis nas séries iniciais, progredindo para subtestes mais difíceis nas séries mais avançadas.

Estudos como os de Demont (1997) e Capovilla, Dias e Montiel (2007) sugerem que apenas uma avaliação global da consciência fonológica caracteriza-se como insuficiente, e até mesmo inadequada, perante a complexidade dos processos envolvidos (Grégoire, 1997; Muter, Snowling & Taylor, 1994; Perfetti et al., 1987). Desta forma, há evidências cada vez mais claras sobre a necessidade de não se considerar, equivocadamente, a consciência fonológica como uma habilidade unitária, mas sim analisá-la em seus diferentes componentes, verificando a relação de cada componente com diferentes etapas da aquisição de leitura e escrita. Isso ajuda a esclarecer a relação entre consciência fonológica e alfabetização.

Assim, se por um lado a introdução de um sistema alfabético auxilia o desenvolvimento da consciência fonêmica, por outro lado dificuldades com a consciência fonêmica tendem a dificultar o desenvolvimento da leitura e da escrita. Evidência do envolvimento da consciência fonêmica na leitura é dada por crianças e adultos que falham consistentemente em leitura e tarefas de consciência fonêmica, apesar de inteligência e instrução adequadas, e de pressão social (Mann & Brady, 1988). Crianças com dificuldade de escrita frequentemente apresentam atrasos em consciência fonológica, além de problemas para representar estímulos verbais fonologicamente e dificuldades para recuperar informações fonológicas armazenadas na memória (Catts & Kamhi, 1986).

Para Byrne e Fielding-Barnsley (1989), a aquisição do princípio alfabético é uma condição necessária para a aquisição da leitura. Três fatores são necessários para a aquisição do princípio alfabético: a consciência de que é possível segmentar a língua falada em unidades distintas; a consciência de que tais unidades reaparecem em diferentes palavras faladas; e o conhecimento das regras de correspondência grafofonêmicas. Os dois primeiros constituem a consciência fonológica. Share (1995) concorda que estes três fatores são indispensáveis para a alfabetização e, consequentemente, afirma que o mecanismo fonológico é indispensável para a leitura competente.

Diversas teorias têm sido desenvolvidas objetivando compreender quais as causas de dificuldades no desenvolvimento da consciência fonológica. Dentre as hipóteses levantadas, destacam-se aquelas que atribuem tais dificuldades a um distúrbio fonológico mais geral (e.g., Vellutino, 1979; Vellutino & Scanlon, 1987), a um distúrbio fonológico expressivo (Jenkins & Bowen, 1994), a distúrbios com o processamento temporal

(Share, 1995), a dificuldades com o estabelecimento de representações fonológicas precisas na memória de longo prazo (Elbro, 1998), ou ainda a dificuldades na percepção involuntária e não consciente dos sons da fala (Morais, 1995). Porém, mesmo que não se saiba ao certo quais as causas das dificuldades fonológicas, já está bem documentada a importância da consciência fonológica para a aquisição de leitura e escrita (Goswami & Bryant, 1990). De acordo com Share (1995), treinos de consciência fonológica que incluam tanto a segmentação quanto a combinação de fonemas podem promover ganhos significativos, facilitando a aquisição da leitura e da escrita alfabéticas. Ou seja, o treino de consciência fonológica pode ser uma forma de facilitar o processamento, temporal ou fonológico, necessário para o domínio da fala e da escrita.

Estudos têm relatado benefícios de programas para desenvolver a consciência fonológica sobre leitura e escrita, especialmente quando é trabalhado o nível fonêmico e quando há, adicionalmente, o ensino das correspondências grafofonêmicas (e.g., McGuinness, 2006; Ramos-Sánchez & Cuadrado-Gordillo, 2004; Temple et al., 2003; Torgesen, Wagner, & Rashotte, 1994; Warrick, Rubin & Rowe-Walsh, 1993). Byrne e Fielding-Barnsley (1991, 1993) corroboram esta ideia afirmando que a consciência da identidade fonêmica, a habilidade de manipular fonemas e o conhecimento das correspondências letra-som, quando combinados, permitem a aquisição do princípio alfabético.

A eficácia de intervenções para desenvolver a consciência fonológica sobre as habilidades metafonológicas de leitura e escrita tem sido documentada em uma série de estudos conduzidos em diferentes países, incluindo Alemanha (Schneider et al., 1997), Austrália (Byrne et al., 1992); Canadá (Vandervelden & Siegel, 1995); Dinamarca (Elbro, Rasmussen, & Spelling, 1996); Estados Unidos (Cunningham, 1990; Torgesen & Davis, 1996), Inglaterra (Bradley & Bryant, 1983); Noruega (Lie, 1991) e Suécia (Lundberg et al., 1988). Tais estudos evidenciam claramente a importância do desenvolvimento da consciência fonológica para o sucesso na alfabetização.

Pesquisas têm revelado ainda que se tal intervenção for feita com crianças em idade pré-escolar, antes da instrução formal de leitura, pode diminuir a frequência e/ou a severidade dos problemas de leitura e escrita (Elbro & Petersen, 2004; Schneider, Roth & Ennemoser, 2000). Elbro e Petersen (2004) observaram efeitos de longo prazo de um treino de consciência fonêmica. Tal intervenção foi conduzida com crianças de risco, filhas de pais disléxicos, ao longo de dezessete semanas na pré-escola. Os resultados de acompanhamento revelaram que as crianças que participaram da intervenção obtiveram desempenhos superiores a crianças de risco de um grupo controle em leitura de palavras e de não palavras na 2ª e 3ª séries, bem como em compreensão de leitura na 7ª série.

Há ainda evidências de que as habilidades de consciência fonológica são as melhores preditoras da ulterior aquisição de leitura, melhores mesmo que o ambiente doméstico, a compreensão de leitura, o vocabulário receptivo e a inteligência (Juel, Griffith, & Gough, 1986; Pratt & Brady, 1988; Rohl & Tunmer, 1988). De todas as medidas de consciência fonológica, as melhores preditoras são as tarefas que requerem a manipulação de segmentos no nível fonêmico (Wagner, 1988). Tais tarefas de consciência fonêmica incluem habilidades de identificar, isolar, contar, adicionar, subtrair e combinar fonemas. As habilidades de isolar um fonema, i.e., identificar um som individual numa palavra ouvida, e subtrair fonemas de palavras são as melhores preditoras de aquisição de leitura, tanto em crianças pré-escolares (Yopp, 1988) quanto em escolares de 1ª série (Perfetti et al., 1987). Além disso, enquanto medida de consciência fonêmica, a segmentação de pseudopalavras é melhor que a segmentação de palavras.

A importância da consciência fonológica para a aquisição da linguagem escrita fica evidente ao analisar a dislexia do desenvolvimento. Segundo o *National Institute of Health* americano (Orton Dyslexia Society, 1995), a dislexia é

> um dos vários tipos de distúrbios de aprendizagem. É um distúrbio específico de linguagem de origem constitucional

e caracterizado por dificuldades em decodificar palavras isoladas, geralmente refletindo habilidades de processamento fonológico deficientes. Essas dificuldades em decodificar palavras isoladas são frequentemente inesperadas em relação à idade e outras habilidades cognitivas e acadêmicas, elas não são resultantes de um distúrbio geral do desenvolvimento ou de problemas sensoriais (p. 2).

Há, portanto, claro comprometimento fonológico na dislexia do desenvolvimento, sendo que a consciência fonológica é uma das habilidades prejudicadas e que tem consequências diretas sobre a dificuldade na alfabetização (Morais, 1995). Tal comprometimento está relacionado a alterações neurológicas no encéfalo de indivíduos disléxicos, especialmente às alterações no tamanho do plano temporal (Hynd & Hiemenz, 1997), uma região localizada no lobo temporal de ambos os hemisférios. O plano temporal esquerdo localiza-se na região de Wernicke, que está relacionada ao processamento fonológico e, mais especificamente, à compreensão da fala e da escrita.

Na maior parte das pessoas os tamanhos dos planos temporais são assimétricos, sendo maior o plano temporal do hemisfério dominante para a linguagem (geralmente o esquerdo), padrão este denominado assimetria do plano temporal. De fato, entre os indivíduos não-disléxicos, 70% têm os planos temporais assimétricos, com o esquerdo maior que o direito. Porém, entre os disléxicos, somente cerca de 30% apresentam tal assimetria (Hynd & Hiemenz, 1997). Os demais 70% apresentam simetria (planos temporais com o mesmo tamanho) ou assimetria reversa (plano temporal direito maior que o esquerdo). A definição do tamanho dos planos temporais ocorre entre o quinto e o sétimo mês de gestação. Portanto, esta alteração nos disléxicos é congênita, podendo ocorrer devido a influências genéticas ou traumáticas. A simetria do plano temporal não é um fator diagnóstico da dislexia, visto que alguns indivíduos não disléxicos também apresentam este padrão. Porém, a simetria é um fator de risco, especialmente quando ocorre simultaneamente com outras alterações genéticas ou anormalidades neurológicas, e com instruções de alfabetização pobres em atividades de consciência fonológica e ensino de correspondências grafo-fonêmicas (Frith, 1997).

De acordo com Leybaert et al. (1997), procedimentos para desenvolver a consciência fonológica são um importante instrumento que os profissionais podem usar para melhorar as habilidades de leitura e escrita de crianças. Tais procedimentos, inclusive, podem promover a ativação de regiões encefálicas subativadas em indivíduos com distúrbios de leitura, tal como o plano temporal esquerdo (Temple et al., 2003). Leybaert et al. (1997) ressaltam ainda que outras variáveis, além das habilidades fonológicas, são importantes para tal aquisição, tais como o nível socioeconômico, a escolaridade dos pais e o tipo de escola. Contudo, diferentemente de tais variáveis sociológicas que não são acessíveis à manipulação, é possível efetivamente operar sobre a consciência fonológica com custos muito baixos, e assim diminuir as dificuldades de aquisição de leitura e escrita.

REFERÊNCIAS

ALÉGRIA, J.; LEYBAERT, J. & MOUSTY, P. Aquisição da leitura e distúrbios associados: Avaliação, tratamento e teoria. In: J. Grégoire & B. Piérart (Orgs.), *Avaliação dos problemas de leitura:* Os novos modelos teóricos e suas implicações diagnósticas. Porto Alegre: Artes Médicas, 1997, p. 105-124.

BAKER, E. & BERNHARDT, B. From hindsight to foresight: working around barriers to success in phonological intervention. *Child Language Teaching and Therapy*, 2004, 20(3), p. 287-318.

BALL, E. W., & BLACHMAN, B. A. Does phoneme awareness training in kindergarten make a difference in early word recognition and developmental spelling? *Reading Research Quarterly*, 1991, 26, p. 49-66.

BARRERA, S. D. *Consciência fonológica e linguagem escrita em pré-escolares.* Dissertação de Mestrado, Universidade de São Paulo, 1995.

_____. Papel facilitador das habilidades metalinguísticas na aprendizagem da linguagem escrita. In: M. R. Maluf (Org.), *Metalinguagem e aquisição da escrita:* Contribuições da pesquisa para a prática da alfabetização. São Paulo: Casa do Psicólogo, 2003, p. 65-90.

BERTELSON, P. & De GELDER, B. Learning about reading from illiterates. In: A. M. Galaburda (Org.), *From reading to neurons.* Cambridge, MA: The MIT Press, 1989, p. 1-25.

BLISCHAK, D. M. Phonologic awareness: Implications for individuals with little or no functional speech. *Augmentative and Alternative Communication,* 1994, 10, p. 245-254.

BRADLEY, L., & BRYANT, P. Categorizing sounds and learning to read: A causal connection. *Nature,* 1983, 301, p. 419-421.

BYRNE, B., & FIELDING-BARNSLEY, R. Phonemic awareness and letter knowledge in the child's acquisition of the alphabetic principle. *Journal of Educational Psychology,* 1989, 81, p. 313-321.

_____. Evaluation of a program to teach phonemic awareness to young children. *Journal of Educational Psychology,* 1991, 83(4), p. 451-455.

_____. Evaluation of a program to teach phonemic awareness to young children: A 1-year follow-up. *Journal of Educational Psychology,* 1993, 1, p. 104-111.

BYRNE, B., FREEBODY, P., & GATES, A. Longitudinal data on the relations of word-reading strategies to comprehension, reading time, and phonemic awareness. *Reading Research Quarterly,* 1992, 27, p. 140-151.

CAPOVILLA. A. G. S. & CAPOVILLA, F. C. Leitura, ditado e manipulação fonêmica em função de variáveis psicolinguísticas em escolares de terceira a quinta série com dificuldades de aprendizagem. *Revista Brasileira de Educação Especial,* 1996, 2(4), p. 53-71.

_____. *Alfabetização:* Método fônico. 4ª ed. São Paulo: Memnon, 2007.

CAPOVILLA, A. G. S.; DIAS, N. M. & MONTIEL, J. M. Desenvolvimento dos componentes da consciência fonológica no ensino fundamental e correlação com nota escolar. *PsicoUSF*, 2007, 12(1), p. 55-64.

CARDOSO-MARTINS, C. Awareness of phonemes and alphabetic literacy acquisition. *British Journal of Educational Psychology*, 1991, 61, p. 164-173.

_____. Sensitivity to rhymes, syllables, and phonemes in literacy acquisition in portuguese. *Reading Research Quarterly*, 1995, 30(4), p. 808-828.

CARROL, J. M. et al. The development of phonological awareness in preschool children. *Developmental Psychology*, 2003, 39(5), p. 913-923.

CATTS, H.; & KAMHI, A. The linguistic basis of reading disorders: Implications for the speech-language pathologist. *Language, Speech, and Hearing Services in Schools*, 1986, 17, p. 329-341.

CUNNIGHAM, A. E. Explicit versus implicit instruction in phonemic awareness. *Journal of Experimental Child Psychology*, 1990, 50, p. 429-44.

DEMONT, E. Consciência fonológica, consciência sintática: que papel (ou papéis) desempenha na aprendizagem eficaz da leitura? In: J. Grégoire & B. Piérart (Orgs.), *Avaliação dos problemas de leitura:* Os novos modelos diagnósticos e suas implicações diagnósticas. Porto Alegre: Artes Médicas, 1997, p. 189-202.

EHRI, L. Sources of difficulty in learning to spell and read. In: M. Wolraich, & D. Routh (Eds.), *Advances in developmental and behavioral pediatrics*. Greenwich, CT: Jai Press, 1986, p. 121-195.

ELBRO, C. When *reading* is "readn" or somthn. Distinctness of phonological representations of lexical items in normal and disabled readers. *Scandinavian Journal of Psychology*, 1998, 39, p. 149-153.

ELBRO, C. & PETERSEN, D. K. Long-term effects of phoneme awareness and letter sound training: An intervention study with children at risk for dyslexia. *Journal of Educational Psychology*, 2004, 96(4), p. 660-670.

ELBRO, C.; RASMUSSEN, I. & SPELLING, B. Teaching reading to disabled readers with language disorders: A controlled evaluation of synthetic speech feedback. *Scandinavian Journal of Psychology*, 1996, 37, p. 140-155.

FOY J. G. & MANN, V. Does strength of phonological representations predict phonological awareness in preschool children? *Applied Psycholinguistics*, 2001, 22(3), p. 301-325.

FREEBODY, P., & BYRNE, B. Word reading strategies in elementary school children: Relationships to comprehension, reading time, and phonemic awareness. *Reading Research Quarterly*, 1988, 24, p. 441-453.

FRITH, U. Beneath the surface of developmental dyslexia. In: K. Patterson, J. Marshall & M. Coltheart (Orgs.), *Surface dyslexia: Neuropsychological and cognitive studies of phonological reading*. London: Erlbaum, 1985.

_____. Brain, mind and behaviour in dyslexia. In: C. Hulme & M. Snowling (Orgs.), *Dyslexia:* Biology, cognition and intevention. London: Whurr Publishers Ltd, 1997, p. 1-19.

GIBSON, L. Y., HOGBEN, J. H. & FLETCHER, J. Visual and auditory processing and component reading skills in developmental dyslexia. *Cognitive Neuropsychology*, 2006, 3(4), p. 621-642.

GOMBERT, J. E. Atividades metalinguísticas e aprendizagem de leitura. In: M. R. Maluf (Org.), *Metalinguagem e aquisição da escrita:* Contribuições da pesquisa para a prática da alfabetização. São Paulo: Casa do Psicólogo, 2003, p. 19-63.

GOSWAMI, U. Learning to read in different orthographies: phonological awareness, orthographic representations and dyslexia. In: C. Hulme & M. Snowling (Orgs.), *Dyslexia: biology, cognition and intervention*. London: Whurr Publishers Ltd, 1997, p. 131-152.

GOSWAMI, U, & BRYANT, P. *Phonological skills and learning to read*. East Sussex: Lawrence Erlbaum, 1990.

GRÉGOIRE, J. O diagnóstico dos distúrbios de aquisição de leitura. In: J. Grégoire & B. Piérart (Orgs.), *Avaliação dos problemas de leitura:* Os novos modelos diagnósticos e suas implicações diagnósticas. Porto Alegre: Artes Médicas, 1997, p. 35-52.

HEATH, S. M. & HOGBEN, J. H. Cost-effective prediction of reading difficulties. *Journal of Speech, Language and Hearing Research*, 2004, 47, p. 751-765.

HEMPENSTALL, K. The whole language - phonics controversy: An historical perspective. *Educational Psychology*, 1997, 17(4), p. 399-418.

HYND, G. W. & HIEMENZ, J. R. Dyslexia and gyral morphology variation. In: C. Hulme, & M. Snowling (Eds.), *Dyslexia: Biology, cognition and intervention*. London: Whurr Publishers Ltd., 1997, p. 38-58.

JENKINS, R. & BOWEN, L. Facilitating development of preliterate children's phonological abilities. *Topics in Language Disorders*, 1994, 14(2), p. 26-39.

JUEL, C.; GRIFFITH, P. L., & GOUGH, P. B. Acquisition of literacy: A longitudinal study of children in first and second grade. *Journal of Educational Psychology*, 1986, 78, p. 243-255.

KOLINSLI, R. (no prelo). Schooling and alphabetization effects on the development of visual "metacognition". In: F. C. Capovilla (Org.), *Desenvolvimento da cognição e linguagem:* Avaliação, teoria e intervenção. Rio de Janeiro: Sociedade Brasileira de Neuropsicologia.

LEMANN, N. The reading wars. *The Atlantic Monthly, November*. Disponível em http://www.theatlantic.com/issues/97nov/read.htm. Acesso em novembro de 1997.

LEYBAERT, J., et al. Aprender a ler: O papel da linguagem, da consciência fonológica e da escola. In J. Grégoire, & B. Piérart (Eds.), *Avaliação dos problemas de leitura:* Os novos modelos teóricos e suas implicações diagnósticas. Porto Alegre: Artes Médicas, 1997.

LIBERMAN, A. et al. Perception of the speech code. *Psychological Review*, 1967, 74, p. 431-461.

_____. Explicit syllable and phoneme segmentation in the young child. *Journal of Experimental Child Psychology*, 1974, 18, p. 201-212.

LIE, A. Effects of a training program for stimulation skills in word analysis in first-grade children. *Reading Research Quarterly*, 1991, 24, p. 234-250.

LUNDBERG, I., FROST, J., & PETERSEN, O. Effects of an extensive program for stimulating phonological awareness in preschool children. *Reading Research Quarterly*, 1988, 23, p. 262-284.

MALUF, M. R. & BARRERA, S. D. Consciência fonológica e linguagem escrita em pré-escolares. *Psicologia: Reflexão e Crítica*, 1997, (10)1, p. 125-145.

MANN, V., & BRADY, S. Reading disability: The role of language deficiencies. *Journal of Consulting and Clinical Psychology*, 1988, 56, p. 811-816.

McGUINESS, D. *O ensino da leitura:* O que a ciência nos diz sobre como ensinar a ler. Porto Alegre: Artes Médicas, 2006

MORAIS, J. et al. Does awareness of speech as a sequence of phones arise spontaneously? *Cognition*, 1979, 7, p. 323-331.

_____. Literacy training and speech segmentation. *Cognition*, 1986, 24, p. 45-64.

_____. *A arte de ler*. São Paulo: Editora UNESP, 1995.

MUTER, V.; SNOWLING, M. & TAYLOR, S. Orthographic analogies and phonological awareness: Their role and significance in early reading development. *Journal of Child Psychology and Psychiatry*, 1994, 35, p. 293-310.

O'CONNOR, R. E. et al. Teaching phonological awareness to young children with learning disabilities. *Exceptional Children*, 1993, 59, p. 532-546.

Orton Dyslexia Society. *Definition adopted by general membership*. Baltimore: The Orton Dyslexia Society, 1995.

PERFETTI, C. A. et al. Phonemic knowledge and leaning to read are reciprocal: A longitudinal study of first grade children. *Merrill-Palmer Quarterly*, 1987, 33, p. 283-319.

PINHEIRO, A., & KEYS, K. *A word frequency count in Brazilian Portuguese*. Manuscrito não-publicado, University of Dundee, Scotland, 1987.

PRATT, A., & BRADY, S. Relation of phonological awareness to reading disability in children and adults. *Journal of Educational Psychology*, 1988, 80, p. 319-323.

RAMOS-SÁNCHEZ, J. L. & CUADRADO-GORDILLO, I. Influence of spoken language on the initial acquisition of reading/writing: critical analysis of verbal deficit theory. *Reading Psychology*, 2004, 25, p. 149-165.

READ, C. et al. The ability to manipulate speech sounds depends on knowing alphabetic spelling. *Cognition*, 1986, 24, p. 31-44.

ROAZZI, A. & DOWKER, A. Consciência fonológica, rima e aprendizagem da leitura. *Psicologia: Teoria e Pesquisa*, 1989, 5, p. 31-55.

ROHL, M., & TUNMER, W. E. Phonemic segmentation skill and spelling acquisition. *Applied Psycholinguistics*, 1988, 9, p. 335-350.

SCHNEIDER, W. et al. Short - and long-term effects of training phonological awareness in kindergarten: Evidence from two german studies. *Journal of Experimental Child Psychology*, 1997, 66, 311-340.

SCHNEIDER, W.; ROTH, E. & ENNEMOSER, M. Training phonological skills and letter knowledge in children at risk for dyslexia: a comparison of three kindergarten intervention programs. *Journal of Educational Psychology*, 2000, 92(2), p. 284-295.

SHARE, D. Phonological recoding and self-teaching: Sine qua non of reading acquisition. *Cognition*, 1995, 55(2), p. 151-218.

SIMOS, P. G. et al. Age-related changes in regional brain activation during phonological decoding and printed word recognition. *Developmental Neuropsychology*, 2001, 19, p. 191-210.

STAHL, S. A., & KUNH, M. R. Does whole language or instruction matched to learning styles help children learn to read? *School Psychology Review*, 1995, 24, p. 393-404.

STANOVICH, K. E., CUNNIGHAM, A. E. & CRAMER, B. R. Assessing phonological awareness in kindergarten children: Issues of task comparability. *Journal of Experimental Child Psychology*, 1984, 38, p. 175-190.

SUPPLE, M. Reading and articulation. *British Journal of Audiology*, 1986, 20, p. 209-214.

TEMPLE, E. et al. Neural deficits in children with dyslexia ameliorated by behavioral remediation: Evidence from functional MRI. *PNAS- Proceedings of the National Academy of Sciences of the United States of America*, 2003, 100(5), 2860-2865.

THATCHER, K. L. Phonological awareness in children with specific language impairment. *Dissertation Abstracts International*, 2003, 64(5-B), p. 2158.

TORGESEN, J. K. & DAVIS, C. Individual difference variables that predict response to training in phonological awareness. *Journal of Experimental Child Psychology*, 1996, 63, p. 1-21.

TORGESEN, J. K., WAGNER, R. K. & RASHOTE, C. A. Longitudinal studies of phonological processing and reading. *Journal of Learning Disabilities*, 1994, 27(5), p. 276-286.

TUNMER, W. E., & COLE, P. G. Learning to read: A metalinguistic act. In: C. Simon (Ed.), *Communication skills and classroom success*. San Diego: College Hill Press, 1985.

TUNMER, W. E.; HERRIMAN, M. L., & NESDALE, A. R. Metalinguistic abilities and beginning reading. *Reading Research Quarterly*, 1988, 23, p. 134-158.

VANDERVELDEN, M. C., & SIEGEL, L. S. Phonological recoding and phoneme awareness in early literacy: A developmental approach. *Reading Research Quarterly*, 1995, 30, 854-875.

VELLUTINO, F. R. *Dyslexia:* Theory and research. Cambridge, MA: The MIT Press, 1979.

_____. Introduction to three studies on reading acquisition: Convergent findings on theoretical foundations of code-oriented versus whole-language approaches to reading acquisition. *Journal of Educational Psychology*, 1991, 83, p. 437-443.

VELLUTINO, F. R., & SCANLON, D. M. Phonological coding, phonological awareness, and reading ability: Evidence from a longitudinal and experimental study. *Merrill-Palmer Quarterly*, 1987, 33, p. 321-363.

WAGNER, R. K. Causal relations between the development of phonologic processing abilities and the acquisition of reading skills: A meta-analysis. *Merril-Palmer Quarterly*, 1988, 34, p. 161-179.

WARRICK, N.; RUBIN, H. & ROWE-WALSH, S. Phoneme awareness in language delayed children: comparative studies and intervention. *Annals of Dyslexia*, 1993, 43, p. 153-173.

WIMMER, H. et al. The relationship of phonemic awareness to reading acquisition: More consequence than precondition but still important. *Cognition*, 1991, 40, p. 219-249.

YATES, G. C. R. Classroom research into effective teaching. *Australian Journal of Remedial Education*, 1988, 20, p. 4-9.

YOPP, H. K. The validity and reliability of phoneme awareness tests. *Reading Research Quarterly*, 1988, 23, p. 159-177.

CAPÍTULO 2

A consciência morfológica é um conceito unitário?

Márcia da Mota
(Universidade Federal de Juiz de Fora)

Morfemas são as menores unidades linguísticas que têm significado próprio. Recentemente as pesquisas na área de alfabetização têm voltado atenção para o papel que a reflexão sobre os morfemas, que compõem as palavras, tem para alfabetização. Esta habilidade, a consciência morfológica, está associada ao desempenho na leitura de palavras isoladas e à compreensão de leitura (Carlisle, 1995, 2000; Carlisle & Fleming, 2003) e também ao desempenho na escrita (Carlisle, 1988; 1996).

A relação encontrada entre a consciência morfológica e a escrita pode ser entendida se aceitarmos que a escrita combina dois tipos de princípios: o princípio fonográfico e o semiográfico. O primeiro envolve estabelecer como unidades gráficas os grafemas ou letras, que correspondem aos sons que compõem a fala. Como vimos no capítulo anterior, estudos têm demonstrado que a habilidade de refletir sobre os sons que compõem a fala, a consciência fonológica, afeta diretamente a aquisição desse princípio. O segundo princípio, o semiográfico, é menos estudado. Envolve estabelecer como os grafemas representam significados. Como dissemos anteriormente, morfemas são as menores unidades linguísticas que têm significado próprio. Assim é a habilidade de refletir sobre os morfemas, pois a consciência morfológica está fortemente associada à aquisição do princípio semiográfico (Marec-Breton & Gombert, 2004).

O princípio semiográfico pode ser importante para a leitura, porque a ortografia de muitas palavras depende do seu significado. Palavras como "laranjeira", que têm ortografia ambígua, podem ser escritas de forma correta se soubermos sua origem: a palavra "laranja". Na leitura, os significados das palavras podem ser igualmente inferidos, se soubermos o significado da palavra que as originou.

No entanto, falar de consciência morfológica como um conceito unitário pode não ser adequado. Como veremos no próximo capítulo, os morfemas apresentam características morfossintáticas e não apenas semânticas. De fato, os linguistas descrevem vários tipos de morfemas que por sua natureza podem ser processados de formas diferentes. Esses morfemas podem contribuir de maneiras diversas para o processamento da língua escrita.

TODOS OS MORFEMAS SÃO IGUAIS?

As palavras podem ser compostas de um ou mais morfemas. Chamamos palavras morfologicamente simples quando essas são compostas de um morfema. Por exemplo, a palavra "flor" possui apenas um morfema. Por sua vez as palavras podem ser morfologicamente complexas quando elas possuem mais de um morfema. Na palavra "florzinha" há dois morfemas: "flor" que é a raiz da palavra e "zinha" que é um sufixo que significa "pequeno".

Existem duas grandes classes de morfemas: as raízes e os afixos (Laroca, 2005). A raiz pode ser definida como núcleo mínimo de uma construção morfológica. Os afixos podem ser de dois tipos: os prefixos – afixos adicionados antes da raiz-, ou sufixos – afixos adicionados depois da raiz.

Os morfemas também podem ser classificados como flexões ou derivações. As flexões são sufixos que determinam o gênero e o número nos substantivos e adjetivos, e nos verbos constituem os sufixos temáticos: modo-temporais e número-pessoais (ver Laroca, 2005, para uma revisão). As derivações, por sua vez, podem ser prefixos – ex. "refazer", ou sufixos – ex. "leiteiro". As flexões têm um caráter morfossintático e possuem uma estabilidade semântica, já as derivações tratam da estrutura das palavras. Neste caso, pode haver extensões do sentido destas palavras (Laroca, 2005).

Casalis e Louis-Alexander (2000) lembram que os principais aspectos da morfologia flexional são adquiridos antes de as crianças começarem a se alfabetizar. A morfologia derivacional, por outro lado, continua a se desenvolver até o final do ensino fundamental. Se o desenvolvimento do conhecimento morfológico ocorre de forma diferente para a morfologia derivacional e flexional, podemos formular a hipótese de que o mesmo ocorra com a consciência morfológica. Isto é, a habilidade de refletir sobre os morfemas nas palavras derivadas e flexionadas se desenvolveria de maneiras diferentes para as flexões e derivações. Se o curso do desenvolvimento for o mesmo do processamento morfológico, espera-se que o desenvolvimento da habilidade de refletir sobre a morfologia derivacional aconteça mais tardiamente do que o desenvolvimento da habilidade de refletir sobre a morfologia flexional.

De fato, há evidências de que crianças pequenas apresentam alguma reflexão sobre as flexões, mas esse conhecimento parece ser rudimentar e implícito. Em um estudo clássico, Berko (1958) investigou o conhecimento da morfologia flexional em crianças falantes do inglês. A autora deu a crianças de quatro a sete anos sentenças com uma pseudopalavra para flexionar. Pseudopalavras não são conhecidas pelas crianças. Se elas as flexionam corretamente é porque estão aplicando regras de formação das palavras flexionadas.

Os resultados do estudo de Berko (1958) mostraram que as crianças pequenas, de quatro anos, foram capazes de produzir respostas corretas para essas sentenças. Nessa idade as crianças ainda não iniciaram o ensino formal da alfabetização. Mesmo assim eram capazes de demonstrar um grau de reflexão sobre a morfologia flexional.

Nunes e Bryant (2006) analisaram criticamente o estudo de Berko (1958) e argumentam que quando as tarefas apresentadas por Berko exigiam um conhecimento mais explícito da morfologia da língua as crianças falhavam em responder as perguntas feitas pela autora. Por exemplo, quando as palavras terminavam em "z" como no caso de "gravidez" as crianças não faziam o plural "gravidezes". Para Nunes e Bryant (2006) o desenvolvimento de um conhecimento explícito sobre a morfologia da língua acontece depois de alguns anos de escolarização formal.

Os autores não fazem no texto citado a distinção entre morfologia derivacional e flexional. O ponto que tentavam estabelecer é que a habilidade de refletir sobre a morfologia faz parte de um avanço do desenvolvimento que se inicia com a aquisição do princípio fonográfico e caminha para aquisição do princípio semiográfico. Isto é, da aquisição das correspondências entre letra e som para o conhecimento da morfologia da língua e sua relação com a ortografia. A princípio, qualquer conhecimento a respeito da morfologia seria implícito, tornando-se explícito à medida que as crianças fossem adquirindo experiência com a língua escrita.

Entretanto, alguns estudos compararam especificamente o desenvolvimento da habilidade de refletir sobre morfemas derivacionais e flexões ao longo do processo de alfabetização. Carlisle (1995) deu a crianças de educação infantil e 1ª série uma tarefa de produção morfológica. Nesta tarefa a criança tinha que completar uma frase com uma palavra faltando. À criança era dada a palavra "fazenda". Depois era pedido a ela que completasse uma frase como: "Meu tio é um..."? Um terço das palavras faltantes eram flexões. Um outro terço eram palavras derivadas com uma relação fonologicamente transparente com a palavra-alvo. O restante das palavras era de palavras derivadas, mas com uma relação opaca com a palavra-alvo.

Os resultados mostraram que para todas as séries era mais fácil completar as frases que requeriam palavras flexionadas do que palavras derivadas. As crianças da educação infantil tiveram muitas dificuldades em resolver esta tarefa. O índice de acerto foi de 1,9% para as palavras derivadas com relações opacas, 22,8% para as palavras derivadas e 36,5% para as palavras flexionadas.

Estes resultados indicam, como propõem Nunes e Bryant (2006), que as crianças pequenas têm dificuldades em tarefas que envolvem a produção de palavras morfologicamente complexas. Tarefas de produção envolvem um conhecimento mais explícito da morfologia da língua. Os resultados indicam também que o processamento das flexões é mais fácil para as crianças do que as derivações. Assim, parece haver diferenças no desenvolvimento da habilidade de refletir sobre diferentes tipos de morfemas, quando se trata de flexões e derivações.

Outro estudo que investigou diferenças no processamento da morfologia derivacional e flexional em crianças pequenas foi realizado por Deacon e Bryant (2005). Esses autores deram a crianças de cinco a oito anos de idade um teste de escrita, no qual elas tinham que escrever palavras com um morfema e palavras com dois morfemas. Metade das palavras de dois morfemas era de palavras derivadas e a outra metade eram palavras flexionadas. As palavras tinham o mesmo som final, por exemplo, a palavra *notion* – com um morfema, e a palavra *connection* – com dois morfemas. Os autores predisseram que se as crianças processam a morfologia da língua, elas teriam uma facilidade maior em escrever o som final das palavras quando eles eram morfemas do que quando não eram. Uma vez que o som final das palavras era o mesmo, qualquer diferença encontrada no desempenho das crianças só poderia ser atribuída ao processamento morfológico da palavra.

Os resultados desse estudo mostraram que de fato as crianças escreviam mais corretamente os sons finais das palavras quando eram morfemas do que quando não eram. Contudo, a análise do tipo de morfema escrito mostrou que este resultado era verdadeiro apenas para as flexões.

Os autores concluíram que a diferença encontrada na escrita dos dois tipos de morfemas possivelmente ocorria porque na morfologia derivacional há uma mudança na classe gramatical das palavras morfologicamente complexas, o que não ocorre com a morfologia flexional. Assim, seria mais fácil para as crianças entender as relações morfêmicas nas flexões do que nas derivações.

No caso da morfologia derivacional, como já discutido, não há regras claras de como formar as palavras. No entanto, conhecer a relação entre a raiz e a palavra derivada pode ajudar o leitor a compreender o significado da palavra e saber como pronunciá-la, e ao escritor decidir sobre grafias ambíguas. Voltando ao exemplo já citado da palavra "laranjeira". Essa palavra é escrita com "j" e não "g" porque vem da palavra "laranja", informação que o escritor pode utilizar. O leitor pode se beneficiar também, pois pode inferir que a palavra significa a "árvore que dá a laranja" (Luft, 1999).

No entanto, estudos realizados em outras ortografias nem sempre confirmam a ideias de que a morfologia derivacional se desenvolve tardiamente. Colé, Marec-Breton, Royer e Gombert (2003) investigaram o papel da consciência morfológica na leitura de crianças francesas. Estes pesquisadores deram a crianças no primeiro ano de alfabetização uma tarefa de leitura que envolvia ou não a análise das palavras em seus morfemas. Eles também estavam interessados em investigar o desenvolvimento desta habilidade metalinguística – a idade de aquisição da consciência morfológica.

No estudo de Colé e cols. (2003), crianças nos anos iniciais da aprendizagem da leitura tinham que ler quatro grupos de palavras: palavras morfologicamente complexas (ex., "banheiro" – "banho"+ "eiro"); palavras com sequência de letras semelhante, mas morfologicamente simples (ex., "dinheiro"); pseudopalavras morfologicamente complexas (ex., "ninheiro" – "ninho"+"eiro"); pseudopalavras não sufixadas (ex., "binheiro").

Apesar de as palavras no estudo de Colé e cols (2003) terem as mesmas características fonológicas e número de letras, as crianças cometeram menos erros lendo as palavras morfologicamente complexas do que as palavras simples. Estes resultados indicam um efeito facilitador da estrutura morfológica no reconhecimento de palavras, mesmo quando os morfemas poderiam ser lidos pela aplicação de regras de correspondência letra-som. Além de demonstrar um efeito facilitador da consciência morfológica na leitura, esse estudo demonstrou que essa habilidade metalinguística está presente desde os anos iniciais da alfabetização, mesmo em se tratando da morfologia derivacional.

No português, Mota (2007) investigou o desenvolvimento da morfologia derivacional em crianças de 1ª e 2ª série. As crianças realizaram seis tarefas focando a morfologia derivacional. Em uma das tarefas propostas por Besse, Vidigal de Paula e Gombert (em comunicação pessoal, 2005) as crianças tinham que decidir se uma palavra era construída da mesma forma que uma palavra-alvo. Por exemplo, decidir se a palavra "descolorir" era construída da mesma forma que as palavras "desfazer" ou "deslizar". Uma segunda versão dessa tarefa envolvendo os sufixos foi aplicada.

Em uma outra tarefa baseada no trabalho de Nagy, Berninger e Abbot (2006) as crianças tinham que decidir se pares de palavras eram relacionados ou não, por exemplo "chique-chiqueiro" ou "leite-leiteiro". A quarta tarefa era de analogia gramatical proposta por Nunes, Bindman e Bryant (1997). As crianças tinham que completar um par de palavras por analogia com um par previamente dado. Por exemplo: "pedra-pedreiro; leite-...". Nas duas últimas tarefas as crianças tinham que decidir qual palavra era originada de uma palavra-alvo. Por exemplo, qual a palavrinha que vem de "cansar"? É "descanso" ou "desmaio"? Uma versão da tarefa envolvia prefixos, outra os sufixos.

As crianças de 1ª série foram capazes de realizar julgamentos sobre a relação morfológica das palavras com níveis de acerto superiores a 50% em quase todas as tarefas. Estes julgamentos parecem demonstrar elas são capazes de apresentar um grau de reflexão sobre a morfologia derivacional também no português.

Embora os resultados de Colé e cols (2003) e Mota (2007) sugiram que a morfologia derivacional comece a ser processada desde as séries iniciais no francês e no português, os estudos desses autores não compararam a *performance* das crianças no processamento de palavras derivadas e flexionadas separadamente. Portanto, não podemos tirar conclusões sobre possíveis diferenças na trajetória de desenvolvimento desses dois tipos de morfemas nessas línguas.

No caso específico do português do Brasil, poucos estudos investigaram o desenvolvimento da consciência morfológica, mesmo de um ponto de vista mais geral. Aqueles que o fizeram, em geral focaram na relação entre a ortografia e a morfossintaxe (Meireles & Correa, 2005; Mota, 1996; Mota & Silva, 2007; Queiroga, Lins & Pereira, 2006, Rego & Buarque, 1997). Estudos futuros devem ser delineados para conhecermos melhor a natureza do processamento morfológico no português.

Por fim, a questão da diferença de processamento dos morfemas pode ser ainda mais complexa do que a mera divisão em flexões e derivações. As características fonológicas dos morfemas podem ser outro fator a afetar seu processamento.

Carlisle, Stone e Katz (2001) deram a crianças de 10 a 15 anos de idade duas tarefas de leitura que envolviam dois grupos de palavras derivadas. O primeiro grupo de palavras eram palavras derivadas, nas quais não havia mudanças na pronúncia da palavra base e da palavra derivada *cultural* e *cultur*e, o segundo grupo envolvia palavras nas quais havia diferenças na pronúncia *natural* e *nature*. Os pares de palavras eram comparáveis quanto à frequência de ocorrência, número de letras e padrão ortográfico. Dessa forma, os autores argumentam que qualquer diferença na leitura destes dois grupos de palavras só poderia ser atribuída ao processamento morfológico. As palavras que não sofrem mudanças fonológicas na leitura seriam mais fáceis, pois estabelecer a relação entre a base da palavra e a palavra morfologicamente complexa fica simplificado. No caso das palavras em que há mudanças na pronúncia, só conhecer a base não garante a pronúncia correta, a criança precisa entender que tipo de mudança fonológica ocorreu.

As crianças foram divididas em dois grupos: bons e maus leitores. Os resultados mostraram que as palavras sem alteração fonológica foram mais fáceis de ler e reconhecer do que as palavras com mudanças. No entanto, a diferença entre a leitura dos dois grupos de palavras foi mais marcada para os maus leitores.

No português, Mota (no prelo) mostrou que as crianças têm mais facilidade de processar prefixos do que sufixos. As palavras prefixadas na tarefa de Mota não sofriam mudanças fonológicas, mantendo a raiz intacta. Esses resultados sugerem que as características fonológicas podem afetar o processamento dos morfemas também no português.

CONCLUSÃO

Responder a pergunta: "a consciência morfológica é um conceito unitário?" não é tarefa fácil. Diferentes morfemas podem requerer diferentes níveis de processamento da língua. Entretanto, as pesquisas costumam focar em aspectos específicos da morfologia. Estudos que investigam o desenvolvimento da morfologia derivacional não investigam o da morfologia flexional. Os resultados dos poucos estudos que parecem sugerir que a consciência morfológica de fato não é um conceito unitário. De um modo geral, as crianças parecem achar mais fácil refletir sobre a morfologia flexional do que a derivacional.

Todavia, a questão sobre a diferença entre morfemas pode ser ainda mais complexa do que separar os morfemas em morfemas derivacionais ou flexionais. Como aponta Correa, no próximo capítulo deste livro, alguns morfemas derivacionais levam a mudanças na classe gramatical da palavra derivada. Alguns obedecem a regras de formação de palavras. outros não. Por exemplo, há regras para escolha da grafia do morfema "esa" em princesa e "eza" em "beleza". Esses fatores podem fazer com que entre os morfemas derivacionais haja diferença na contribuição que dão à aprendizagem da língua escrita.

Outro aspecto a ser considerado é que a diferenciação entre morfologia derivacional e flexional pode não ser o único fator a influenciar o processamento morfológico. Morfemas fonologicamente complexos são processados de forma diferente dos morfemas fonologicamente simples (Carlisle, Stone & Katz, 2001; Fowler & Liberman, 1995; Mota, no prelo).

Por fim, os estudos realizados no Brasil parecem demonstrar que tanto a morfologia derivacional como a flexional influenciam o desenvolvimento da escrita. Contudo, estudos que testem essa hipótese e sistematizem os resultados em termos do desenvolvimento da consciência morfológica e sua relação com a escrita ainda são necessários. De um modo geral, os estudos sobre consciência morfológica têm apresentado mais questões do que respostas, tornando esse um campo fértil para investigação.

REFERÊNCIAS

BERKO, J. The child's learning of English morphology. *Word*, 14, 1958, p. 150-177.

CARLISLE, J. Knowledge of derivational morphology and spelling ability in fourth, six, and eight graders. *Applied Psycholinguistics*, 1988, 9, p. 247-266.

_____. Morphological awareness and early reading achievement. In: L. Feldman (org.) *Morphological aspects of language processing*. Hillsdale: Lawrence Erlbaum Associates, 1995, p.189-211.

_____. An exploratory study of morphological errors in children's written stories. *Reading and Writing: An Interdisciplinary Journal*, 1996, 8, p. 61-72.

_____. Awareness of the structure and meaning of morphologically complex words: impact on reading. *Reading and Writing: An Interdisciplinary Journal*, 2000, 12, p. 169-190.

CARLISLE, J.; STONE, C. & KATZ, L. The effects of phonological transparency on reading derived words. *Annals of Dyslexia*, 2001, 51, 249-274.

CARLISLE, J. & FLEMING, J. Lexical processing of morphologically complex words in the elementary years. *Scientific Studies of Reading*, 2003, 7(3), p. 239-253.

CASALIS, S. & LOUIS-ALEXANDRE, M-F. Morphological analysis, phonological analysis and learning to read french: a longitudinal study. *Reading and Writing: An Interdisciplinary Journal*, 2000, 12, p. 303-335.

CHOMSKY, N. & HALLE, M. *The sound patterns of English*. New York: Harper & Row, 1968.

COLÉ et al. Morphologie des mots et apprentissage de la lecture. *Reeducation Orthophonic*, 2003, 213, p. 57-60.

DEACON, S. & BRYANT, P. What young children do and do not know about the spelling of inflections and derivations. *Developmental Science*, 2005, 8(6), p. 583-594.

DEACON, S. & KIRBY, J. Morphological Awareness: Just "more phonological"? The roles of morphological and phonological awareness in reading development. *Applied Psycholinguistics*, 2004, 25, p. 223-238.

DEMONT, E. & GOMBERT, J. E. Lápprentissage de la lecture: évolution des procédures et apprentissage implicite. *Enfance*, 2004, 3, p. 245-257.

FOWLER, A. & LIBERMAN, I. The role of phonology and orthography in morphological awareness. In: L., Feldman (org.). *Morphological aspects of language processing*. Hillsdale: Lawrence Erlbaum Associates, 1995, p.157-188.

FRITH, U. Beneath the surface of developmetal dislexia. In: K. Patterson, M. Coltheart, J. Marshal (orgs.). *Surface Dislexia*. London: Lawrence Erlbaum Associates, 1985, p. 301-330.

GOSWAMI, U. & BRYANT, P. *Phonological skills and learning to read*. London: Lawrence Erlbaun Associates, 1990.

LAROCA, M. *Manual de morfologia do português*. Campinas: Pontes; Juiz de Fora: Editora da UFJF, 2005.

LUFT, C. *Minidicionário Luft*. São Paulo: Ática, 1999.

MAREC-BRETON, N. & GOMBERT, J. A dimensão morfológica nos principais modelos de aprendizagem da leitura. In: M. R. Maluf (org). *Psicologia educacional:* Questões contemporâneas. São Paulo: Casa do Psicólogo, 2004, p. 105-122.

MEIRELES, E. & CORREA, J. Regras contextuais e morfossintáticas na aquisição da ortografia da língua portuguesa por criança. *Psicologia: Teoria e Pesquisa*, 2005, 21 (1), p. 77-84.

MOTA, M. *Children's role of grammatical rules in spelling*. Tese de doutorado não publicada, departamento de Psicologia Experimental, Universidade de Oxford, Inglaterra, 1996.

_____. Complexidade fonológica e reconhecimento da relação morfológica entre as palavras: Um estudo exploratório. *Psic (São Paulo)*, 2007, v. 8(2), p 131-138.

MOTA, M. et al. Erros de escrita no contexto: uma análise dentro da abordagem da teoria do processamento da informação. *Revista Psicologia: Reflexão e Crítica*, 2000, 13 (1), p. 1-6.

MOTA, M. & SILVA, K. Consciência morfológica e desenvolvimento ortográfico: Um estudo exploratório. *Psicologia em Pesquisa*, 2007, 1(2), no prelo.

NAGY, W.; BERNINGER, V. & ABBOT, R. Contributions of morphology beyond phonology to literacy outcome of upper elementary and middle-school students. *Journal of Educational Psychology*, 2006, 98 (1), p. 134-147.

NUNES, T.; BINDMAN, M. & BRYANT, P. Morphological strategies: developmental stages and processes. *Developmental Psychology*, 33(4), 1997, p. 637-649.

_____. The effects of learning to spell on children's awareness of morphology. *Reading and Writing*, 2006, (19), p. 767-787

NUNES, T. & BRYANT, P. *Improving literacy by teaching morphemes*. London: Routledge, 2006.

_____. Improving literacy by teaching morphemes. London: Routledge, 2006.

PLAZA, M. & COHEN, H. Predictive influence of phonological processing, morphological/syntactic skill, and naming speed on spelling performance. *Brain and Cognition*, 2004, 55, p. 368-373.

PINHEIRO, A. M. V. Contagem de frequência de ocorrência de palavras expostas a crianças na faixa pré-escolar e séries iniciais do 1º grau. *Software* produzido pela Associação Brasileira de Dislexia – ABD, 1996.

QUEIROGA, B., LINS, M. & PEREIRA, M. Conhecimento morfossintático e ortografia em crianças do ensino fundamental. *Psicologia: Teoria e Pesquisa*, 2006, 22 (1), p. 95-99.

REGO, L. & BRYANT, P. The connections between phonological, syntactic and semantic skills and children's reading and spelling. *European Journal of Psychology*, 1993, 3, p. 235-246.

REGO, L. & BUARQUE, L. Consciência sintática, consciência fonológica e aquisição de regras ortográficas. *Revista Psicologia: Reflexão e Crítica*, 1997, 10 (2), p. 199-217.

CAPÍTULO 3

Habilidades metalinguísticas relacionadas à sintaxe e à morfologia[1]

Jane Correa
(Universidade Federal do Rio de Janeiro)

Desde cedo as crianças são capazes de espontaneamente usar as regras gramaticais de sua língua. Entre tais conhecimentos estão, por exemplo, as regras básicas para a formação do plural ou para a formação do passado dos verbos regulares (Gombert, 1992). Crianças pré-escolares são capazes de julgar com bastante consistência a aceitabilidade de frases simples (de Villiers & de Villiers, 1972, 1974; Gleitman, Gleitman & Shipley,1972; Scholl & Ryan, 1975; Smith & Targer-Flusberg, 1982) como também de inventar novas palavras para expressar alguma ideia para a qual não tenham encontrado o vocábulo

---

[1] Agradecemos ao CNPq, à CAPES e à FAPERJ pelo financiamento dos projetos de pesquisa que tornaram possível a escrita deste capítulo. À Secretaria Municipal de Educação da Cidade do Rio de Janeiro, professores e responsáveis pela confiança em nós depositada. Às crianças pelo muito que nos têm ensinado nos diferentes projetos dos quais participam. À Joyce Lys Saback Nogueira de Sá pela leitura crítica deste capítulo.

apropriado em seu léxico mental. Entretanto, há que se distinguir entre o uso espontâneo dos conhecimentos morfológicos e sintáticos na fala em contexto de comunicação do controle intencional que a criança possa fazer destes conhecimentos na linguagem oral ou escrita. O controle intencional do conhecimento linguístico e o emprego daí resultante expressam o uso de habilidades metalinguísticas.

A habilidade de tomarmos a linguagem como objeto de pensamento e não somente como instrumento de comunicação é denominada de metalinguagem (Gombert, 1992). As habilidades metalinguísticas são de natureza variada conforme o aspecto linguístico ao qual se apliquem. Nosso interesse neste capítulo refere-se às habilidades metalinguísticas aplicadas aos níveis sintáticos e morfológicos da língua. Designa-se como consciência sintática o controle intencional e o emprego consciente da sintaxe da língua (Gombert, 1992) e como consciência morfológica, o controle e uso consciente dos conhecimentos morfológicos (Carlisle, 2000). Procuraremos então estabelecer, inicialmente, a importância de tais habilidades para o aprendizado da leitura e da escrita para, em seguida, analisarmos a forma como tais habilidades podem ser mensuradas. Finalmente, discutiremos as definições de consciência sintática e consciência morfológica, explorando o conceito de consciência morfossintática como forma de nos referirmos às habilidades metalinguísticas relacionadas à sintaxe e à morfologia de forma mais integrada.

A SENSIBILIDADE À SINTAXE E À MORFOLOGIA E O APRENDIZADO DA LÍNGUA ESCRITA

As diferentes habilidades metalinguísticas parecem contribuir de formas distintas para o aprendizado da língua escrita. A influência da consciência sintática sobre a leitura poderia ser compreendida de duas formas. Segundo Tunmer e Bowey (1984), as habilidades metassintáticas auxiliariam a criança na detecção e correção de erros na leitura, maximizando o processo de monitoramento da compreensão leitora. A consciência sintática auxiliaria também o reconhecimento de palavras no texto, uma vez que a criança usaria o contexto sintático para compensar eventuais dificuldades na decodificação das palavras (Tunmer & Hoover, 1992). Entretanto, a relação entre a consciência sintática e a leitura não é de todo clara. Tal relação parece ser de natureza mais genérica, sendo mediada pela memória de trabalho e pela consciência fonológica. Há evidências de que a consciência sintática não mais se correlaciona a variações no desempenho das crianças em leitura, tanto no que se refere à decodificação de palavras quanto à compreensão leitora, uma vez controlada a influência do desempenho das crianças nas tarefas relacionadas à memória de trabalho e à consciência fonológica (Oakhill & Cain, 2004).

Por outro lado, a sensibilidade à morfologia derivacional relaciona-se com as habilidades de leitura de crianças com idade entre 8 e 12 anos, mesmo quando controlados os efeitos atribuídos à consciência fonológica (Singson, Mahony & Mann, 2000). Com o aumento da escolaridade, o aprendiz se depara frequentemente com a presença de palavras mais complexas do ponto de vista morfológico nos textos que lê. Duas são, então, as formas pelas quais a consciência morfológica pode influenciar a leitura. A sensibilidade à morfologia pode contribuir para o desenvolvimento das habilidades de decodificação bem como promover a compreensão leitora. O conhecimento da forma como as palavras são estruturadas pode favorecer a decodificação acurada das palavras no texto. Por outro lado, a sensibilidade das crianças aos morfemas e à estrutura mórfica dos vocábulos auxiliaria o entendimento das palavras no texto, contribuindo, desta forma, para a compreensão do texto escrito.

Habilidades relacionadas à consciência dos aspectos morfológicos da língua estão associadas ainda ao sucesso das crianças em tarefas de vocabulário (Carlisle, 2000). A sensibilidade aos aspectos morfológicos da língua, isto é, a como as palavras são formadas a partir da combinação de unidades mínimas portadoras de significação – morfemas –, permitiria a expansão do vocabulário pela derivação de novas palavras a partir daquelas já conhecidas. A sensibilidade à morfologia também auxiliaria a criança a estabelecer a definição de novas palavras, especialmente de palavras morfologicamente complexas, a partir do significado das partes que as constituem.

A sensibilidade da criança à morfologia também está relacionada ao desenvolvimento da escrita ortográfica (Bryant, Nunes & Bindman, 2000; Treiman & Cassar, 1996). A consciência acerca da estrutura mórfica das palavras prediz o desempenho das crianças na escrita de vocábulos cujas grafias podem ser determinadas por regularidades morfossintáticas (Nunes, Bryant & Bindman, 1997ab; Nunes, Bryant & Olsson, 2003). Há, inclusive, evidências empíricas acerca da importância da sensibilidade à morfologia para ortografias relativamente mais transparentes que o inglês como, por exemplo, o português brasileiro (Bryant & Nunes, 2004; Correa & Dockrell, 2007). De maneira recíproca, o aprendizado da língua escrita influenciaria o desenvolvimento da consciência morfológica. O desempenho ortográfico das crianças poderia predizer o sucesso futuro destas crianças em tarefas relacionadas à consciência morfológica. A consciência morfológica e as competências de leitura e escrita parecem, desta forma, estabelecer uma relação de causalidade recíproca (Nunes, Bryant & Bindman, 2006). Neste sentido, variações no domínio de habilidades morfológicas relacionam-se ao aprendizado da língua escrita e tal aprendizado enseja o desenvolvimento ulterior da consciência morfológica e assim sucessivamente.

A MENSURAÇÃO DAS HABILIDADES ETALINGUÍSTICAS RELACIONADAS À SINTAXE E À MORFOLOGIA

Conforme observa Gombert (1992), as correções espontâneas da fala, tomadas inicialmente como as primeiras evidências de habilidades metassintáticas na criança, derivam muito mais da intenção da criança em se comunicar e em monitorar o sentido daquilo que fala do que do emprego deliberado dos aspectos formais da língua nas frases que produz. Um grande desafio à pesquisa sobre a origem e o desenvolvimento das habilidades metalinguísticas é o da sua mensuração, ou seja, o da construção de atividades em que a criança efetivamente reflita e empregue deliberadamente seus conhecimentos acerca da língua.

O interesse despertado a partir da década de 1970 no estudo das habilidades metalinguísticas (Bialystok, 1993) e da relação de tais habilidades com a aquisição da língua escrita provocou o surgimento de investigações, inicialmente sobre a consciência sintática e posteriormente sobre a consciência morfológica. A avaliação da consciência sintática focaliza a sensibilidade à ordenação dos vocábulos nas frases e à concordância nominal e verbal em frases em que há o emprego inapropriado ou ausência de certos morfemas, por exemplo, "os meninos pula". Por sua vez, a mensuração da consciência morfológica tem enfatizado a sensibilidade aos processos de derivação lexical – morfologia derivacional –, ou às flexões de palavras variáveis – morfologia flexional. No caso da morfologia derivacional observa-se: a formação de palavras através do acréscimo de prefixos ou sufixos a um radical; ou a decomposição de palavras derivadas nas palavras primitivas. Para a morfologia flexional estudam-se: as flexões de gênero e de número dos nomes e adjetivos e as flexões de modo-tempo e número-pessoa dos verbos.

As tarefas empregadas nas investigações sobre a aquisição da língua escrita destinadas à avaliação da consciência dos aspectos sintáticos e morfológicos da língua são, a seguir, descritas e discutidas em função da propriedade destas tarefas para a compreensão do desenvolvimento das habilidades metalinguísticas (Correa, 2004; 2005). Na descrição e discussão de cada tarefa são citadas pesquisas relacionadas preferencialmente à aquisição da leitura e da escrita que fizeram uso das diversas tarefas incluídas nesse capítulo.

Tarefa de julgamento de aceitabilidade de frases

Consiste da apresentação oral de uma série de frases bem estruturadas e sentenças gramaticalmente inaceitáveis para o julgamento de sua aceitabilidade sintática (de Villiers & de Villiers, 1972, 1974; Gleitman, Gleitman & Shipley,1972; Scholl &

Ryan, 1975; Smith & Targer-Flusberg, 1982). São incluídas frases cujos termos foram invertidos ou frases com o emprego inapropriado, ou mesmo ausência de certos morfemas em determinados vocábulos. Após a tarefa de julgamento, seguia-se a solicitação da correção das frases julgadas incorretas.

O procedimento de adotar a correção da frase julgada inapropriada pode levar à subestimação das competências metalinguísticas do entrevistado, principalmente das crianças mais novas. De maneira geral, a criança pode demonstrar dificuldade, inibição e/ou falta de interesse em dar explicações sobre suas respostas. Desta forma, algumas crianças podem aceitar uma frase pelo simples fato de não terem que corrigi-la em seguida. Uma solução possível, nestes casos, seria o de dissociar as tarefas de julgamento e correção, pedindo-se apenas o julgamento da aceitabilidade das frases sem a correção daquelas consideradas inaceitáveis (Bohannon, 1976; Rego, 1993). Neste caso, poderíamos estar, desta vez, superestimando o desempenho do sujeito, principalmente das crianças mais novas, concluindo pela emergência de habilidades metassintáticas mais cedo do que na verdade aconteceriam.

A complexidade das frases tem influência no julgamento de aceitabilidade dos enunciados. Frases mais longas e, portanto, mais complexas, fazem com que outras funções cognitivas como, por exemplo, a memória de trabalho, influenciem o desempenho na tarefa. Por outro lado, o emprego na tarefa de frases mais simples pode não resultar em uma avaliação mais fidedigna das competências metalinguísticas. Uma vez que violações de natureza sintática trazem invariavelmente como consequência violações de ordem semântica, a criança pode basear seu julgamento no entendimento do significado das sentenças apresentadas e não na correção de sua forma. Assim, independentemente da complexidade das frases apresentadas, a criança pode ser bem-sucedida na tarefa de julgamento simplesmente porque sua decisão é baseada na detecção da dissonância global dos enunciados, sem que de fato esteja ocorrendo a detecção explícita da agramaticalidade das frases julgadas como incorretas.

Outro ponto a considerar em relação ao julgamento da agramaticalidade das frases seria a da variante linguística falada pelo sujeito. No português brasileiro, por exemplo, frases em que haja a ausência de um morfema marcador de plural poderiam ser julgadas como corretas, não por faltar ao sujeito habilidades metassintáticas, mas pela adoção como modelo pelo indivíduo da variante do português falado em sua família ou comunidade.

Tarefa de correção

Neste tipo de tarefa, são apresentadas para correção somente frases consideradas inaceitáveis gramaticalmente (Guimarães, 2003; Leal & Roazzi, 1999; Pratt, Tunmer & Bowey, 1984; Rego, 1993, 1997; Rego & Buarque, 1997; Rego & Bryant, 1993; Tunmer, Nesdale & Wright, 1987). As frases são geralmente atribuídas a um fantoche ou personagem que fala "esquisito". De forma geral, as tarefas de correção presentes na literatura envolvem, para algumas frases, itens relativos à reordenação de seus termos, por exemplo, "solta Marcos amarela o pipa uma" e, para outras, o uso inadequado ou mesmo a ausência de um dado morfema "a menina gostamos de chocolate".

O emprego da tarefa de correção por si só não permite ainda estabelecer de forma precisa o desenvolvimento da consciência sintática, especialmente em crianças mais novas. A resposta de algumas crianças pode ter influência da variante do português falado em seu meio social. Nesses casos, a tarefa parece sem sentido para a criança à medida que demanda a correção de sentenças que para ela seriam perfeitamente aceitáveis.

A tarefa de correção também deixa dúvidas quanto à possibilidade de acesso efetivo ao conhecimento metassintático, dada a tendência do falante de certa língua para a normalização de frases (Byalistok & Ryan, 1985). Desta forma, as correções poderiam ser realizadas de forma intuitiva sem que o sujeito estivesse, de fato, refletindo sobre a natureza do erro presente nas frases. Além do fato das correções poderem ser consequência do conhecimento tácito sobre a sintaxe da língua que qualquer falante do idioma possui, as sentenças poderiam ser também corrigidas a partir de critérios puramente semânticos.

Tarefa de repetição

Como forma de poder determinar o emprego efetivo das habilidades metalinguísticas, alguns pesquisadores passaram a empregar a tarefa de repetição associada às tarefas de julgamento e correção (Bowey, 1986; Ryan & Ledger, 1979; Gaux & Gombert, 1999a). A tarefa de repetição consiste na repetição da sentença ouvida sem qualquer tipo de alteração. Em função da tendência à normalização de sentenças julgadas inadequadas pelo falante da língua, a repetição das sentenças inaceitáveis exigiria da criança o controle intencional de sua atividade. Desta forma, índices baixos de desempenho na tarefa de repetição, associados a elevado percentual de sucesso nas tarefas de julgamento e correção de frases, indicariam que o bom desempenho nas duas últimas tarefas resultaria de um conhecimento tácito da língua. Ainda assim, o emprego da tarefa de repetição, por si só, não permite estabelecer inequivocamente o uso intencional do conhecimento sintático. As crianças poderiam repetir frases que tenham podido entender melhor, ou cujas palavras lhes parecessem mais familiares.

Tarefa de localização

Nesta tarefa, os erros presentes nas frases devem ser localizados, sendo que a resposta pode vir ou não seguida da explicação do motivo pelo qual os erros foram apontados (Smith-Lock & Rubin,1993; Gaux & Gombert, 1999a). Os acertos nesta tarefa podem ser baseados em critérios puramente semânticos já que, conforme discutido anteriormente, as violações sintáticas geram como consequência violações de natureza semântica, acarretando por si só o estranhamento do enunciado. Desta forma, não há como decidirmos pelo emprego de habilidades metalinguísticas para a realização da tarefa sem examinarmos a justificativa dada pelos entrevistados.

Por outro lado, a ausência de explicação não indica necessariamente a ausência de atividade de natureza metalinguística. Primeiro porque a não verbalização de uma regra gramatical não implica a incapacidade de sua utilização intencional (Green & Hecht, 1992; Sorace, 1985), uma vez que alguns indivíduos apresentariam dificuldade em expressar verbalmente o uso de tais regras. A manipulação intencional do conhecimento gramatical não implica necessariamente sua expressão verbal.

A enunciação de uma dada regra gramatical é, além do mais, influenciada pela escolaridade. O conhecimento do vocabulário gramatical adequado, o que depende em grande parte do nível de escolaridade do indivíduo, favorece a verbalização da natureza do erro presente na frase. Entretanto, a verbalização de uma regra gramatical pode não significar por si só que se esteja fazendo uso de habilidades metalinguísticas. Por influência do ensino recebido, regras gramáticas podem ser memorizadas sem que o seu significado tenha sido compreendido.

Tarefas de completamento ou de produção

Neste tipo de tarefa, devem-se enunciar as palavras que faltam em uma frase ou história, ou ainda, completar o morfema final de uma palavra incompleta inserida em uma frase (Leal & Roazzi, 1999; Nunes, Bryant & Bindman, 1997ab; Rego & Bryant, 1993; Tunmer, Nesdale & Wright, 1987). De maneira geral, a tarefa de completamento não possibilita determinar de maneira inequívoca se o desempenho da criança se deve preferencialmente ao uso de habilidades morfossintáticas ou ao uso da semântica. Indivíduos com vocabulário mais extenso tenderiam a obter melhores resultados neste tipo de tarefa, não sendo possível, desta forma, determinar se o seu sucesso na tarefa não ocorreu apenas pelo emprego dos conhecimentos tácitos que possuem da língua (Gaux & Gombert, 1999b).

O *teste de estrutura morfológica* (Carlisle, 2000) requer a habilidade de decompor uma palavra derivada pela subtração do sufixo para completar uma frase com a palavra primitiva – *tarefa de decomposição*-, ou a habilidade de gerar uma forma derivada a partir da palavra primitiva – *tarefa de derivação*, conforme o exemplo do Quadro 1.

Quadro 1 - Exemplo de itens do teste de estrutura morfológica

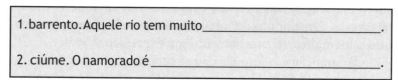

Em metade dos itens da tarefa, a produção da palavra derivada conserva a estrutura fonológica da palavra primitiva, por exemplo, "boi – boiada". Na outra metade, a estrutura fonológica das palavras é modificada em função das transformações requeridas – exemplo: "fome – faminto". Os itens da tarefa de decomposição são mais facilmente resolvidos. Uma observação mais criteriosa da tarefa de decomposição indica que seja pouco provável o uso de habilidades metacognitivas para explicar o sucesso na solução desse tipo de item, uma vez que o contexto da frase auxiliaria no quanto subtrair da palavra apresentada e na enunciação da palavra primitiva.

De maneira geral, o teste de estrutura morfológica deixaria dúvidas quanto ao fato de sua solução ser creditada em maior parte ao uso de habilidades metalinguísticas. A partir da palavra primitiva é possível gerar um eixo paradigmático de palavras pertencentes ao mesmo campo semântico. O contexto da frase, por sua vez, auxiliaria na escolha da palavra mais apropriada neste campo semântico. Assim, a solução da tarefa poderia ser feita sem que para isto ocorresse a manipulação intencional dos elementos mórficos necessários para a passagem da palavra primitiva à derivada. O teste de estrutura morfológica parece ser, portanto, bastante influenciado pela extensão do léxico da criança.

A tentativa de minimizar o uso de pistas semânticas nas tarefas resulta no emprego de pseudopalavras, ou seja, de palavras inventadas que apesar de obedecerem à formação fonológica da língua não fazem parte de seu léxico. Na *tarefa de morfologia produtiva* (Berko, 1958; Nunes, Bryant & Bindman, 1997b) são apresentadas pseudopalavras, as quais devem ser modificadas pelo acréscimo de afixos ou desinências. Geralmente uma gravura acompanha um pequeno texto onde a pseudopalavra é introduzida. A este trecho, segue-se uma frase que deve ser completada pela forma flexionada ou derivada da pseudopalavra – Quadro 2.

Quadro 2 - Exemplo de item da tarefa de morfologia produtiva

Nesta figura temos um zope. Nesta outra figura há quatro deles. Logo nesta figura vemos quatro _____.

Apesar do uso de pseudopalavras pretender eliminar a influência da semântica no uso de habilidades metalinguísticas, as pistas fornecidas pelo contexto poderiam ser suficientes para favorecer a modificação requerida na pseudopalavra. Por outro lado, o emprego de pseudopalavras circunscreve os aspectos morfossintáticos examinados a regularidades prototípicas, o que dificilmente requereria mais do que o emprego do conhecimento tácito da língua pelo sujeito.

Na *tarefa de completamento de sentença* (Casalis & Louis-Alexandre, 2000), uma frase deverá ser finalizada com uma forma derivada, quer de uma palavra primitiva ou de uma pseudopalavra conforme o Quadro 3 exemplifica. A tarefa de completamento de sentença parece estar mais relacionada à avaliação do vocabulário do que ao seu conhecimento morfossintático propriamente dito.

Quadro 3 - Exemplo de itens da tarefa de completamento de sentença

1. Uma mulher que canta profissionalmente é uma_____.
2. O contrário de fazer é _____.
3. Aquele bicho tem zeno. Ele é um bicho _____.

No *teste de derivação por sufixação* (Singson, Mahony & Mann, 2000) há a apresentação escrita de frases com uma lacuna que deverá ser completada pela escolha de uma palavra derivada em meio a outras três palavras, todas derivadas de um mesmo radical, conforme o Quadro 4 exemplifica. O teste compreende também itens incluindo pseudopalavras. A diferença deste teste para outras tarefas de completamento está no fato de ele não ser um teste de produção da forma morfossintática apropriada, mas de seu reconhecimento.

Quadro 4 - Exemplo de item do teste de derivação por sufixação

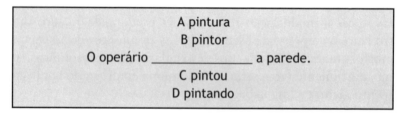

O teste de derivação por sufixação, como todas as outras tarefas de completamento, sofre restrições quanto ao acesso à atividade metalinguística. O bom desempenho na tarefa pode ser alcançado prioritariamente pelo nível de vocabulário adquirido e não pelo emprego das habilidades de natureza metalinguística. O teste de derivação por sufixação é também influenciado pela habilidade de leitura se apresentado na forma impressa. A tarefa exige bastante da memória de trabalho no que concerne à atenção e à retenção tanto das alternativas apresentadas para o completamento da frase bem como da sentença em si mesma.

Tarefas de decisão

Na *tarefa de julgamento da relação morfológica* entre palavras (Cole, Royer, Leuwers &. Casalis, 2004; Nagy, Berninger & Abbot, 2006) duas palavras são apresentadas oralmente. Estas palavras podem estar relacionadas morfologicamente – uma palavra primitiva e outra derivada "cabelo – cabeludo", ou podem guardar apenas uma semelhança fonológica sem estarem relacionadas morfologicamente "amor – amora". Solicita-se, então, à criança que decida se as duas palavras apresentadas pertencem a uma mesma família. Uma vez que as palavras de uma mesma família possuem uma semelhança estrutural, a decisão da criança para estes itens pode refletir apenas o seu conhecimento implícito sobre morfologia. A inclusão dos itens em que há apenas semelhança fonológica entre os itens pode ser importante para estabelecer o quanto a decisão da criança é baseada na semelhança formal entre as palavras.

Na *tarefa de decisão morfossemântica* (Mota, 2007), a criança deve decidir qual dentre duas palavras, "boleto ou bolada", é da mesma família da de uma palavra-estímulo "bola", por exemplo. Este tipo de tarefa não requer necessariamente o controle intencional do processamento morfológico pela criança, se a decisão puder ser realizada baseada na semelhança estrutural e semântica entre as palavras em função dos itens escolhidos.

Outro tipo de *tarefa de decisão morfossemântica* (Mota, 2007) requer que a criança julgue qual dentre duas palavras, por exemplo "destruir" ou "desfazer" foi formada da mesma forma que uma determinada palavra-estímulo "desligar". Esta tarefa pode requerer para sua solução o uso intencional do conhecimento morfológico da criança uma vez que, para os itens apresentados, sejam controlados a semelhança estrutural e semântica entre as palavras.

Na *tarefa de compreensão de afixos* (Cole, Royer, Leuwers &. Casalis, 2004) apresenta-se uma pseudopalavra "cale", por exemplo, que é tomada como uma base, como raiz, a qual se associa um afixo "dor", formando-se outra pseudopalavra "caledor". Pede-se à criança que decida entre duas definições que lhe foram apresentadas qual delas lhe parece mais adequada para definir a pseudopalavra formada – definição 1: "caledor" é alguém que "cale"; definição 2: "caledor" é um "cale" pequeno. Colé e colaboradores (2004) consideram que esta tarefa avalia o emprego intencional do conhecimento morfológico, pois requer da criança a explicitação da compreensão do significado que os afixos imprimem à base. Nesta tarefa, como são empregadas palavras sem sentido, a criança não pode se valer do significado da base para auxiliá-la a inferir o sentido dos afixos.

Tarefa de replicação

Nesta tarefa, o erro gramatical localizado e corrigido em uma frase deve ser reproduzido em outras duas sentenças, ambas corretas (Gaux & Gombert, 1999a). Na frase "o menina é teimoso", após a localização e correção do erro, a criança deverá reproduzi-lo em duas outras frases, como por exemplo "a boneca é nova" e "o papai parece preocupado". Esta tarefa objetiva poder mensurar o uso consciente do conhecimento morfossintático simultaneamente pela detecção, correção e reprodução intencional do erro sem a necessidade de se recorrer à explicação verbal por parte das crianças.

A eficácia da tarefa de replicação pode ser comprometida, segundo Gaux e Gombert (1999b), pelo tipo de item apresentado, permitindo sua solução, mais pelo emprego do conhecimento tácito da língua do que pelo uso de habilidades metalinguísticas. Os erros detectados poderiam ser mais facilmente reproduzidos nos casos de semelhança fonológica ou estrutural entre a frase correta e a frase na qual o erro foi identificado e corrigido. Desta forma, o erro que consta da frase "o menina está zangado" será mais facilmente reproduzido se a frase for "o professor ficou emocionado", a qual a criança transformaria professor em professora, por exemplo, do que se a frase for "o rapaz chora de alegria". A semelhança entre a posição do erro nas frases em que deve ser replicado e na frase onde foi inicialmente corrigido pode também facilitar o sucesso na tarefa.

Outro fator a ser considerado no uso da tarefa de replicação seria o da interferência relacionada à memória de trabalho, principalmente quando a tarefa fosse apresentada apenas oralmente, ou seja, sem a apresentação escrita das frases. No caso da apresentação escrita das sentenças, a eficácia da tarefa estaria associada à habilidade de leitura.

Tarefas de analogia

A tarefa de analogia é estruturada segundo o esquema: o item A está para o item B assim como o item C está para o item D. Deve-se, então, detectar a relação gramatical entre o primeiro par de itens (A e B) da tarefa e aplicá-la ao segundo par (itens C e D). Nas tarefas de *analogia sintática* (Nunes, Bryant & Bindman, 1997a), A e B são duas sentenças. Por exemplo, uma frase com o verbo no presente "João solta a pipa" e outra no passado "João soltou a pipa"; C é uma sentença também com um verbo no presente "Mamão faz um bolo" e D, uma sentença a ser formulada a partir da transformação operada de A para B. No caso, a frase C deverá ser dita com o verbo no passado "Mamão fez um bolo". Na tarefa de analogia de palavras (Bryant & cols., 1999; Nunes & cols., 1997a, 1997b), os itens referem-se a palavras "dançar-dançarina"; "cantar-?" ao invés de sentenças. As transformações a serem aplicadas ao segundo par de itens podem ser tanto relacionadas à derivação quanto à flexão das palavras.

Conforme expresso na sua designação, o desempenho na tarefa de analogia depende, além da aplicação dos conhecimentos metalinguísticos, da habilidade em se fazer uso do raciocínio por analogia. Para finalizar, as mesmas ressalvas feitas com relação à construção de itens para a *tarefa de replicação* são aplicáveis, também, à elaboração dos itens da tarefa de analogia.

CONSCIÊNCIA SINTÁTICA, CONSCIÊNCIA MORFOLÓGICA, OU CONSCIÊNCIA MORFOSSINTÁTICA?

As investigações acerca do desenvolvimento das habilidades metalinguísticas têm contemplado a contribuição da consciência sintática e da consciência morfológica para o aprendizado da leitura e da escrita de forma independente, sem oferecer ainda um modelo que considere a relação entre as duas habilidades metalinguísticas nos atos de linguagem realizados pelos usuários da língua. A distinção entre a consciência sintática e a consciência morfológica encontrada na literatura parece refletir muito mais a diferenciação estabelecida pela gramática entre sintaxe e morfologia, do que o funcionamento cognitivo do sujeito que aprende. Do ponto de vista empírico, observa-se a dificuldade em se realizar uma avaliação independente da consciência sintática e da consciência morfológica. Muitas das tarefas utilizadas para avaliar a consciência sintática contemplaram informações de natureza morfológica como o emprego inapropriado ou mesmo a ausência de morfemas nominais e verbais. Por sua vez, os estudos acerca da avaliação da consciência morfológica contemplam informações sintáticas quando focalizam a manipulação dos morfemas flexionais, (desinências nominais e verbais), ou morfemas derivacionais com propriedades gramaticais, ou seja, morfemas que modificam a categoria gramatical da palavra derivada em relação à palavra primitiva. Desta forma, para a maior parte dos fenômenos linguísticos descritos nas tarefas, a morfologia e a sintaxe não aparecem como níveis independentes de organização da linguagem. Podemos, então, indagar se seria producente tomarmos como independentes os processamentos sintático e morfológico para a construção de modelos teóricos que permitam a compreensão da representação e do funcionamento cognitivo no aprendizado da língua escrita.

Etimologicamente, a palavra sintaxe significa ordem ou disposição (Houaiss, 2004). Toda vez que dois elementos linguísticos são colocados em relação temos um sintagma, isto é, unidade mínima de uma sintaxe qualquer (Abaurre, Pontara & Fadel, 2000). Desta forma, do ponto de vista linguístico, a sintaxe estaria presente em qualquer nível de descrição de uma determinada língua, uma vez que os elementos constituintes de uma linguagem estão sempre relacionados entre si e organizados de uma determinada maneira (Abaurre, Pontara & Fadel, 2000). Ainda que em termos da gramática os estudos sobre a sintaxe sejam apresentados no nível das orações, sintaxe *stricto senso*, podemos considerar as palavras como sintagmas no nível morfológico, dado que os morfemas que as constituem se encontram organizados de uma forma específica (Abaurre, Pontara & Fadel, 2000).

Embora do ponto de vista didático e de pesquisa seja conveniente o uso dos termos consciência morfológica enfatizando a estrutura mórfica das palavras, e consciência sintática para a organização dos elementos nos sintagmas oracionais, o usuário da língua se defronta a cada momento na produção de qualquer enunciado, oral ou escrito, com as tarefas de escolher uma forma – morfologia –, e a de relacionar esta forma com outra – sintaxe. Estas relações se dão, por exemplo, quando decompomos uma palavra em seus constituintes, ou quando formamos palavras, frases ou textos (Bizzocchi, 2007; Sautchuck, 2004). Os elementos da linguagem se organizam, portanto, a partir de dois tipos de relações (Bizzocchi, 2007; Sautchuck, 2004): a da escolha entre elementos de mesma função, ou seja, dentro de um conjunto de formas possíveis – eixo paradigmático ou das simultaneidades, e a da relação, no discurso, entre as formas escolhidas pelo falante da língua – eixo sintagmático ou das sucessividades. É neste sentido que Sautchuk (2004) afirma que a língua funciona morfossintaticamente. Desta forma, poderíamos empregar o termo consciência morfossintática para designar nossa capacidade de reflexão e manipulação intencional dos aspectos morfológicos e sintáticos da língua e de sua aplicação, dado que nos atos de linguagem, orais ou escritos, tais aspectos encontram-se relacionados.

A consciência morfossintática seria assim um construto multidimensional envolvendo uma série de habilidades relacionadas à representação, ao monitoramento e planejamento, por parte do sujeito, de sua atividade de processamento linguístico relativo quer à morfologia, quer à sintaxe. Sendo assim, a não ser por ênfase didática ou de delineamento de pesquisa em que utilizamos por conveniência o termo consciência morfológica para focalizar a sensibilidade à constituição das palavras, e consciência sintática para a reflexão sobre a sintaxe em sentido estrito, podemos, de maneira geral, empregar o termo consciência morfossintática para indicar esta habilidade cognitiva complexa e multidimensional que incluiria as competências relacionadas à consciência morfológica e à consciência sintática. Sob a denominação de consciência morfossintática poder-se-ia designar, então, a consciência dos níveis da gramática que nos permite executar tarefas que requerem particular atenção, quer aos aspectos morfológicos, quer aos aspectos sintáticos da língua, uma vez ambos estão relacionados às produções orais ou escritas de qualquer aprendiz.

REFERÊNCIAS

ABAURRE, M. L.; PONTARA, M. N. & FADEL, T. *Português:* Língua e literatura. São Paulo: Moderna, 2000.

BERKO, J. The child's learning of English morphology. *Word*, 1958, 14, p. 150-177.

BIALYSYOK, E. Metalinguistic awareness: the development of children's representations of language. In: C. Pratt & A. F. Garton (Orgs). *Systems of representation in children: Development and use.* New York: Wiley, 1993, p. 211-233.

BIALYSTOK, E. & RYAN, E. B. Toward a definition of metalinguistic skill. Merrill-Palmer Quarterly, 1985 31, p. 229-251.

BIZZOCCHI, A. De linguagem, planetas e empresas. *Revista Língua Portuguesa*, 2007, 20, p. 50-52.

BOHANNON, J. N. Normal and scrambled grammar in discrimination, imitation and comprehension. *Child Development*, 17, 1976, p. 669-681.

BOWEY, J. Syntactic awareness and verbal performance from preschool to fifth grade. *Journal of Psycholinguistic Research*, 1986, 15, p. 285-308.

BRYANT, P. & NUNES, T. Morphology and spelling. In: T. Nunes & P. Bryant (Eds.). *Handbook of children's literacy*. Dordrecht: Kluwer Academic, 2004, p.91-118.

BRYANT, P.; NUNES, T. & BINDMAN, M. Morphemes and spelling. In: T. Nunes (Org.), *Learning to read*. Netherlands: Kluwer, 1999, p. 15-41.

_____. The relations between children's linguistic awareness and spelling: the case of the apostrophe. *Reading and Writing*, 2000, 12, p. 253-276.

CARLISLE, J. F. Awareness of the structure and meaning of morphologically complex words: impact on reading. *Reading and Writing: An Interdisciplinary Journal*, 2000, 12, p. 169-190.

CASALIS, S. & LOUIS-ALEXANDRE, M-F. Morphological analysis, phonological analysis and learning to read French: a longitudinal study. *Reading and Writing: An Interdisciplinary Journal*, 2000, 12, p. 303-335.

COLÉ et al. Les connaissances morphologiques dérivationnelles et l'apprentissage de la lecture chez l'apprenti-lecteur français du cp au ce2. *L'Année Psychologique*, 2004, 104, p. 701-750.

CORREA, J & DOCKRELL, J. Unconventional word segmentation in Brazilian children's early text production. *Reading and Writing*, 2007, 20(8), p. 815-831.

CORREA, J. A avaliação da consciência sintática na criança. *Psicologia: Teoria e Pesquisa*, 2004, 20 (1), p. 69-75.

_____. A avaliação da consciência morfossintática na criança. *Psicologia: Reflexão e Crítica*, 2005, 18 (1), p. 91-97.

DE VILLIERS, P.A. & DE VILLIERS, J. G. Early judgments of semantic and syntactic acceptability by children. *Journal of Psycholinguistic Research*, 1972, 1(4), p. 299-310.

_____. Competence and performance in child language: Are children really competent to judge? *Journal of Child Language*, 1974, 1 (1), p. 11-22.

GAUX, C. & GOMBERT, J. E. Implicit and explicit syntactic knowledge and reading in pré-adolescents. *British Journal of Developmental Psychology*, 1999a, 17, 169-188.

GAUX, C. & GOMBERT, J. E. La conscience syntaxique chez les préadolescents: question de méthodes. *L'Anné Psychologique*, 1999b, 99, p. 45-74.

GLEITMAN, L. R.; GLEITMAN, H. & SHIPLEY, E. F. The emergence of the child as grammarian. *Cognition*, 1972, 1, p. 137-164.

GOMBERT, J. È. *Metalinguistic development*. London: Harvester-Wheatsheaf, 1992.

GREEN, P. S. & HECHT, K. Implicit and explicit grammar: An empirical study. *Applied Linguistics*, 1992, 13(2), p. 168-184.

GUIMARÃES, S. R. K. Dificuldades no desenvolvimento da lectoescrita: O papel das habilidades metalinguísticas. *Psicologia: Teoria e Pesquisa*, 2003, 19 (1), p. 33-45.

HOUAISS, A. *Dicionário Houaiss da língua portuguesa*. Rio de Janeiro: Objetiva/Instituto Antônio Houaiss de Lexicografia, 2004.

LEAL, T. F. & ROAZZI, A. Uso de pistas linguísticas na leitura: Análise do efeito da consciência sintático-semântica sobre a compreensão de textos. *Revista Portuguesa de Educação*, 1999, 12(2), p. 77-104.

MOTA, M. Morfologia derivacional e alfabetização no português do Brasil. Anais do VIII CONPE – Congresso Nacional de Psicologia Escolar e Educacional. São João Del Rei, MG, 2007.

NAGY, W., BERNINGER, V. & ABBOT, R. Contributions of morphology beyond phonology to literacy outcome of upper elementary and middle-school students. *Journal of Educational Psychology*, 2006, 98 (1), p. 134-147.

NUNES, T.; BRYANT, P. & BINDMAN, M. The effects of learning to spell on children's awareness of morphology. *Reading and Writing: An Interdisciplinary Journal*, 2006, 19, p. 767-787.

NUNES, T.; BRYANT, P. & BINDMAN, M. Learning to spell regular and irregular verbs. *Reading and Writing: An Interdisciplinary Journal*, 1997a, 9, p. 427-449.

_____. Morphological spelling strategies: developmental stages and processes. *Developmental Psychology*, 1997b, 33 (4), p. 637-649.

NUNES, T., BRYANT, P. & OLSSON, J. Learning morphological and phonological spelling rules: An intervention study. *Reading and Writing: An Interdisciplinary Journal*, 2003, 7, p. 289-307.

OAKHILL, J. V. & CAIN, K. The development of comprehension skills. In: T. Nunes & P. Bryant (Eds). *Handbook of children's literacy*. Dordrecht: Kluwer Academic, 2004, p. 155-180.

PRATT, C. TUNMER, W. E & BOWEY, J. Children's capacity to correct gramatical violations in sentences. *Journal of Child Language*, 1984, 11(1), p. 129-141.

REGO, L. L. B. O papel da consciência sintática na aquisição da língua escrita. *Temas em Psicologia*, 1993, 1, p. 79-111.

_____. The connection between syntactic awareness and reading: evidence from Portuguese-speaking children taught by a phonic method. *International Journal of Behavioral Development*, 1997, 20 (2), p. 349-365.

REGO, L. L. B. & BRYANT, P. The connection between phonological, syntactic and semantic skills and children's and spelling. *European Journal of Psychology of Education*, 1993, 8(3), p. 235-246.

REGO, L. L. B. & BUARQUE, L. L. Consciência sintática, consciência fonológica e aquisição de regras ortográficas. *Psicologia: Reflexão e Crítica*, 1997, 10(2), p. 199-217.

RYAN, E. B. & LEDGER, G. W. Grammaticality judgments, sentences repetitions, and sentence corrections of children learning to read. *International Journal of Psycholinguistics*, 1979, 6, p. 23-40.

SAUTCHUK, I. *Prática de morfossintaxe: como e por que aprender análise (morfo)sintática*. Barueri, SP: Manole, 2004.

SCHOLL, D. M. & RYAN, E. B. Child judgments of sentences varying in grammatical complexity. *Journal of Experimental Child Psychology*, 20, 1975, p. 274-285.

SINGSON, M., MAHONY, D. & MANN, V. The relation between reading ability and morphological skills: evidence from derivational suffixes. *Reading and Writing: An Interdisciplinary Journal*, 2000, 12, p. 219-252.

SMITH, C. L. & TARGER-FLUSBERG, H. Metalinguistic awareness and language development. *Journal of Experimental Child Psychology*, 34, 1982, p. 449-468.

SMITH-LOCK, K. M. & RUBIN, H. Phonological and morphological analysis skills in young children. *Journal of Child Language*, 1993, 20, p. 437-454.

SORACE, A. Metalinguistic knowledge and language use in acquisition – poor environments. *Applied Linguistics*, 1985, 6 (3), p. 239-254.

TREIMAN, R., & CASSAR, M. Effects of morphology on children's spelling of final consonant clusters. Journal of Experimental Child Psychology, 1996, 63(1), p. 141-170.

TUNMER, W. E. & BOWEY, J. A. Metalinguistic awareness and reading acquisition. In W. E. Tunmer, C. Pratt & M. Herriman (Eds). *Metalinguistic awareness in children*. New York: Springer-Verlag, 1984, p.144-168.

TUNMER, W. E. & HOOVER, W. A. Cognitive and linguistic factors in learning to read. In: P. B. Gough, L. C. Ehri & R. Treiman (Eds.). *Reading Acquisition*. Hillsdale: Erlbaum, 1992, p. 175-214.

TUNMER, W. E.; NESDALE, A. R. & WRIGHT, A. D. Syntactic awareness and reading acquisition. *British Journal of Developmental Psychology*, 1987, 5, p. 25-34.

CAPÍTULO 4

A consciência metatextual[1]

Alina Galvão Spinillo
(Universidade Federal de Pernambuco)

> *O prefixo Grego meta significa, em termos gerais, além de (fora, acima, distante) e possui um sentido reflexivo. Quando anteposto a um nome em particular – como, por exemplo, metaprocedimento, metafonológico – significa voltar-se para aquilo que é denotado pelo nome. [...] Assim, quando usamos o termo metalinguístico estamos denotando um retorno para aquilo que chamamos linguístico. Podemos falar sobre as coisas, eventos ou pessoas, e também podemos falar sobre a linguagem. Quando usamos a linguagem metalinguisticamente, o objeto ou o tópico de nossa fala é um evento linguístico (Tolchinsky, 2000, p. 31).*

---

1 Agradecimentos são endereçados à Coordenadoria de Aperfeiçoamento de Pessoal de Nível Superior (CAPES), à Fundação de Amparo à Pesquisa do Estado de Pernambuco (FACEPE) e, em especial, ao Conselho Nacional de Desenvolvimento Científico e Tecnológico (CNPq) pelo apoio recebido sob forma de bolsas de pesquisa e de apoio financeiro para a realização de diversas investigações apresentadas neste capítulo. Agradeço, imensamente, a Chris Pratt, a Jean-Émile Gombert e a Lúcia Lins que, em ocasiões distintas, me deram a honra e a oportunidade de discutir com eles questões teóricas e metodológicas que inspiraram a escrita deste capítulo e a realização dos estudos que serviram de base para a sua elaboração.

INTRODUÇÃO

Termos como consciência fonológica, consciência morfológica e consciência sintática são, há muito, conhecidos no campo da metalinguística. Contudo, o mesmo não ocorre em relação ao termo *consciência metatextual*. Apesar da estranheza inicial, é possível, sem grandes dificuldades, inferir-lhe o significado quando, por analogia, se considera que os termos acima mencionados se definem a partir das unidades linguísticas que focalizam, a saber: o fonema, a palavra e a frase, respectivamente. Em sendo assim, é apropriado concluir que a consciência metatextual se define a partir da unidade linguística que focaliza: o texto.

Embora não tenha realizado, ele próprio, investigações acerca da consciência metatextual, Gombert (1992)[2] cunhou esse termo com vistas a diferenciar a consciência metatextual de outras habilidades metalinguísticas.

Ao definir o que vem a ser consciência metatextual, torna-se necessário estabelecer a importante distinção entre usar o texto para se comunicar e tratar o texto como objeto de reflexão. Em situações de comunicação, produzimos e compreendemos textos sem que tenhamos, normalmente, qualquer razão para refletir deliberadamente sobre sua estrutura, natureza ou características. Nas situações de comunicação, o foco de nossa atenção se volta para as ideias que desejamos comunicar e para o significado que precisamos atribuir. No entanto, se necessário, podemos voltar nossa atenção, de forma consciente e deliberada, para o texto em si mesmo: sua estrutura, suas partes constituintes, suas convenções linguísticas e marcadores (coesivos, pontuação).

Suponha que ao ler uma história percebo que suas partes estão invertidas: a história inicia-se com a introdução da cena e dos personagens, passando para o desfecho – a parte final em que todos foram felizes para sempre-, e termina com o meio, especificando a situação-problema com a qual se depara o personagem principal. Posso, ainda, durante a leitura notar que o

---

2 A obra original foi publicada em francês em 1990.

texto está misturado, consistindo em partes oriundas de diferentes gêneros, isto é, se inicia como uma história, porém termina como uma carta. Tanto na primeira com na segunda situação, ao detectar tais inconsistências, realizo uma atividade metatextual em que minha atenção, de forma deliberada e consciente, se volta para o texto em si mesmo.

Nesses exemplos, a linguagem, no caso o texto, deixa de ser transparente para ser opaca (Cazden, 1974) e o indivíduo se afasta das situações de uso, tratando o texto não como um instrumento de comunicação, mas como um objeto de reflexão. Na realidade, há uma concordância entre os estudiosos da área quanto ao fato de que para ser denominada metalinguística, uma habilidade precisa envolver uma reflexão consciente, de maneira que o indivíduo explicitamente focalize sua atenção na linguagem, sendo capaz de manipulá-la (Bialystok, 1993; Garton & Pratt, 1998; Gombert, 1992; Herriman, 1986; Nesdale & Tunmer,1984; Pratt & Grieve, 1984; Perner, 1988; Tunmer & Herriman, 1984).

Tunmer e Herriman (1984) enfatizam a importância do controle e da atenção deliberada que o indivíduo precisa dirigir para a estrutura da linguagem. Essa afirmação é de particular relevância para uma compreensão da consciência metatextual, uma vez que o texto possui uma estrutura linguística específica que o define como tal; sendo esta estrutura passível de tornar-se objeto de reflexão por parte do indivíduo. Nesta mesma linha de raciocínio insere-se a perspectiva de Gombert (1992). Para ele, é possível definir a consciência metatextual como uma atividade realizada por um indivíduo que trata o texto como um objeto de análise cujas propriedades podem ser examinadas a partir de um monitoramento deliberado em que o foco recai sobre o texto e não sobre seus usos – compreensão e produção de textos. Observa-se que, segundo o autor, a consciência metatextual é uma atividade que versa sobre as relações intralinguísticas estabelecidas no texto, tais como as convenções linguísticas, componentes estruturais e organização.

Com base nesse referencial teórico, o presente capítulo aborda a consciência metatextual a partir de diferentes perspectivas. Inicialmente, um olhar sobre as pesquisas que tomam o texto como unidade de análise mostra que há estudos em que a atividade metatextual é coadjuvante na investigação de outros fenômenos da linguagem; em outras pesquisas, em menor número e mais recentes, ela própria é objeto de exame. Em seguida, propõe-se um modelo de desenvolvimento da consciência metatextual baseado no desenvolvimento da consciência metalinguística como proposto por Gombert (1992; 2003), tendo como suporte empírico evidências derivadas de pesquisas que diretamente investigam a consciência metatextual em crianças. Por fim, questões educacionais são consideradas, refletindo-se acerca de como desenvolver a consciência metatextual e as consequências desse desenvolvimento para outras aquisições linguísticas, como a produção de textos, por exemplo.

O TEXTO COMO UNIDADE DE ANÁLISE NA PESQUISA

Gombert (1992), ao introduzir e definir o termo consciência metatextual, discute uma série de pesquisas em que o texto é tomado, deliberadamente, como objeto de reflexão. Spinillo e Simões (2003) atualizaram a revisão feita por ele, acrescentando um novo enfoque que é a investigação acerca da estrutura do texto. A partir dessas duas obras e de um levantamento bibliográfico mais amplo foi possível identificar-se maneiras distintas de tomar o texto como unidade de análise em situações de investigação. Em algumas das pesquisas relatadas a seguir, o objetivo é examinar outros fenômenos da linguagem, como a produção, a compreensão de textos e a coesão textual. Em pesquisas mais recentes, o objetivo é investigar a própria consciência metatextual.

A CONSCIÊNCIA METATEXTUAL NA INVESTIGAÇÃO DE OUTROS FENÔMENOS DA LINGUAGEM

A literatura está repleta de situações de investigação em que o texto é objeto de reflexão pelos indivíduos sem que a consciência metatextual seja, ela própria, examinada. Nessas pesquisas a atividade metatextual faz parte da situação de investigação, mas não é o fenômeno linguístico a ser examinado. Nessas investigações, o indivíduo realiza uma atividade metatextual com vistas a ser avaliado em relação a alguma habilidade linguística como, por exemplo, a capacidade de monitoramento da leitura – metacompreensão –, e da escrita de textos – revisão, manipulação de partes do texto –, e o conhecimento sobre recursos coesivos e marcas de pontuação.

Estudos sobre o monitoramento da compreensão de textos

Há estudos em que o texto é tomado como objeto de reflexão, tendo em vista o conteúdo e as informações nele veiculadas. Este é o caso de pesquisas que examinam a habilidade do leitor em detectar anomalias e contradições no interior do texto, envolvendo o monitoramento das características semânticas tanto de sentenças isoladas como do texto como um todo (e.g., Ruffman, 1996).

Markman (1979) examinou a habilidade de crianças de oito a doze anos em identificar contradições de natureza lógica entre duas informações textuais. Independentemente da idade, 50% delas não percebiam a contradição, tendo dificuldade em monitorar a compreensão do texto. Em estudos semelhantes, Harris, Kruithog, Terwogt e Visser (1981) e Tunmer, Neasdale e Pratt (1983) constataram que o desempenho melhorava quando o texto continha informações familiares às crianças.

Markman e Gorin (1981) solicitaram que crianças entre sete e dez anos julgassem se em um texto lido havia ou não afirmações incorretas. Duas situações foram apresentadas: uma em que o tipo de problema que poderia ser encontrado no texto não era especificado e outra em que o tipo de problema era claramente especificado. As crianças mais novas, entre sete e oito anos, foram capazes de detectar as informações incorretas em 27% dos casos na situação em que não se especificava o tipo de problema e em 39% dos casos na situação em que o tipo de problema era especificado. As crianças com idades entre nove e dez anos detectaram as informações incorretas em 31% dos casos na primeira situação e em 61% dos casos na segunda. Esses percentuais mostram que enquanto as crianças mais velhas se beneficiavam do grau de precisão fornecido pelo examinador, as mais novas não se beneficiavam – isso ocorria porque tinham dificuldades em focalizar sua atenção no texto. Esta dificuldade tendia a diminuir quando o texto era lido pela própria criança, que conseguia identificar as incongruências em até 66% dos casos (Pace, 1979, citado em Gombert, 1992).

Detectar informações no texto foi atividade explorada em um estudo de intervenção conduzido por Spinillo (2008), realizado em sala de aula com crianças de escolas públicas em Recife, voltado para o desenvolvimento da compreensão de textos. Em algumas situações, a professora solicitava que os alunos focalizassem sua atenção em passagens do texto com vistas a identificar pistas – palavras ou sentenças-, que serviam de base para a geração de inferências que haviam sido capazes de estabelecer ao lerem um dado texto. No início da intervenção, muitas das crianças tinham dificuldades em detectar as passagens, porém ao final dessa experiência didática, as crianças conseguiam não apenas identificar as passagens como também eram capazes de explicitarem verbalmente as bases geradoras de suas inferências. Nesse sentido, a atenção do leitor se volta para o texto, requerendo pensar sobre as informações nele contidas e acerca de sua própria compreensão.

Esses resultados mostram que a habilidade em detectar inconsistências no texto é, além da idade, influenciada pela situação experimental, havendo condições mais favoráveis que outras. De qualquer forma, entretanto, as crianças mais novas apresentam dificuldades em voltar sua atenção para o conteúdo do texto, habilidade esta fortemente associada à compreensão de textos. Importante comentar que nesses estudos a atenção do leitor se volta para o conteúdo e não para a forma ou estrutura do texto. Sendo assim, essas pesquisas versam sobre o monitoramento da coerência e da compreensão mais do que sobre a consciência metatextual, podendo ser consideradas como estudos sobre metacompreensão.

Estudos sobre o monitoramento da escrita de textos

Entidades textuais, como parágrafos, por exemplo, podem ser manipuladas de diferentes formas durante ou após a composição escrita de um texto. Por exemplo, podemos transportar, especialmente com o auxílio de um processador de textos, um parágrafo de um local para outro ao longo do texto ou podemos fazer citações de passagens que desejamos ressaltar.

Tolchinsky (2004) comenta que a citação é uma entidade linguística que pode ser isolada e reproduzida. A autora afirma que crianças desde cedo são capazes de fazer citações de textos em situações em que têm que recontar uma narrativa, sobretudo em histórias quando reproduzem partes da fala de protagonistas. Crianças de sete e oito anos conseguem mencionar explicitamente o interlocutor ao apresentar uma citação, inclusive mudando o tempo do verbo e o pronome – "...e então, a bruxa chegou e disse: Eu estou pronta para comer vocês". Fazer citações requer estabelecer a distinção entre dois níveis de uma mesma passagem textual: a matriz e a citação. Na escrita, como demonstram Spinillo e Lima (2005), essa distinção é feita a partir de marcas de pontuação específicas como os dois pontos e o travessão, para diferenciar a narração do discurso direto.

Atividades de revisão textual também envolvem, algumas vezes, a manipulação de partes do texto. Spinillo e Lima (em preparação) analisaram as ações realizadas por crianças de 1ª e de 4ª série do ensino fundamental ao revisarem seus textos individualmente e em dupla. As ações conduzidas durante o processo de revisão consistiam em: adição de nova informação; alteração de aspectos gráficos – caligrafia, espaço entre as palavras; correção gramatical; correção ortográfica; e re-escrita de toda uma passagem. Os dados mostraram que alterações feitas pelas crianças da 1ª série se concentravam nos aspectos gráficos e ortográficos das palavras, enquanto as alterações das crianças da 4ª série envolviam a re-escrita de passagens maiores, como sentenças e parágrafos, com vistas a esclarecer o sentido a ser veiculado. O que se observa, a partir desses dados, é que em atividades de revisão, a atenção da criança pode voltar-se tanto para o conteúdo como para a forma do texto.

De maneira geral, os estudos sobre revisão mostram que as ações de avaliar, detectar e corrigir problemas em um texto requerem conhecimentos sobre a linguagem, e que as dificuldades em realizar tais ações podem estar relacionadas ao nível de conhecimento linguístico implícito do escritor (Camps & Milian, 2000). No entanto, alguns desses processos se tornam explícitos durante a revisão, de forma que ao realizar tais ações o indivíduo realiza uma atividade metatextual. A atividade metalinguística, de modo geral e a atividade metatextual, em particular, desempenham papel importante na escrita de textos, sobretudo nas atividades de monitoramento da escrita, no uso de estratégias que participam do processo de composição e na revisão textual.

Estudos sobre recursos coesivos e marcas de pontuação

Há pesquisas em que o indivíduo toma o texto como objeto de análise com vistas a refletir acerca de pequenas marcas linguísticas espalhadas na superfície do texto, como recursos coesivos, elos e cadeias coesivas, e pontuação.

Spinillo, Rego, Lima e Souza (2002) examinaram a compreensão de cadeias coesivas[3] em crianças de oito anos, adotando procedimento semelhante àquele utilizado por Yuill e Oakhill (1991). A criança lia uma história em que algumas palavras eram colocadas em destaque, sendo solicitada a identificar ao que se referia aquela palavra no texto. Cada palavra em destaque fazia parte de uma cadeia coesiva, tendo a criança que explicitar o significado particular de um léxico em uma determinada cadeia coesiva. Essa tarefa requeria a explicitação da

---

3 O termo cadeia coesiva foi introduzido por Antunes (1996, p. 77-78) como sendo um encadeamento de nexos semanticamente semelhantes que se distribuem pela superfície do texto, como se este se constituísse em um terreno pontilhado por diferentes tipos de nós, formando uma rede de significados.

maneira como a coesão havia sido estabelecida, demandando uma atividade metatextual ao nível da palavra e ao nível do texto como um todo. Observou-se que havia crianças que apesar de corretamente conectarem léxicos em uma mesma cadeia coesiva, tinham dificuldades em explicar as razões que as levavam a estabelecer tal relação. Por outro lado, havia aquelas que além de associar a palavra a outros léxicos na mesma cadeia coesiva, eram também capazes de explicitar sua compreensão acerca das relações coesivas estabelecidas. As autoras concluíram que há crianças que apresentam uma compreensão implícita, enquanto outras alcançam níveis explícitos de compreensão que, de acordo com nossa análise, são mais elaborados.

Em outro estudo, Spinillo e Lima (2005) investigaram a compreensão de marcas de pontuação. Após reproduzirem por escrito uma história lida pelo examinador, crianças entre seis e oito anos eram solicitadas a explicar a função de cada uma das marcas de pontuação que empregara – "para que serve esta pontuação aqui?". Tal pergunta requeria tomar o texto como objeto de reflexão, analisando o papel desempenhado pelas diferentes marcas de pontuação nele presentes. De maneira geral, os dados mostraram haver uma progressão na maneira como as crianças compreendem o papel desempenhado pelas marcas de pontuação em um texto.

A consciência metatextual como objeto de investigação

Diferentemente das pesquisas anteriores que, embora envolvessem uma atividade metatextual, investigavam outros fenômenos da linguagem, as pesquisas relatadas a seguir não apenas requerem do indivíduo uma atividade metatextual como, de fato, examinam a consciência metatextual. Nessas investigações, o texto é tomado como unidade de análise a partir de sua estrutura, distanciando-se do conteúdo veiculado para aproximar-se da forma, da configuração linguística do texto. Como afirmado por Spinillo e Simões (2003), embora raros, estudos desse tipo possibilitam o surgimento de uma nova perspectiva de investigação acerca da consciência metatextual.

A seguir, dois enfoques são considerados. O primeiro, de natureza empírica, traz para o centro da discussão os resultados de pesquisas sobre a consciência metatextual. O segundo enfoque, de natureza teórico-metodológica, diz respeito às diferentes formas de se investigar a consciência metatextual, versando sobre uma reflexão acerca das características das tarefas adotadas nessas pesquisas.

As pesquisas e seus resultados

Um dos primeiros estudos empíricos que focalizou a estrutura e organização do texto foi o de Stein e Policastro (1984). Evidentemente, o estudo não fazia qualquer menção à consciência metatextual, uma vez que a publicação deste artigo foi anterior à publicação do livro de Gombert (1992) quando então o termo foi por ele cunhado. As autoras examinaram se o conceito de história se alterava em função do desenvolvimento e da experiência dos indivíduos, entrevistando, para tanto, crianças de 2ª série do ensino fundamental e professores do ensino fundamental. Duas tarefas foram aplicadas: uma delas consistia em determinar se um texto-estímulo apresentado era ou não uma história; e a outra tarefa consistia em classificar os textos-estímulo em uma escala de sete pontos quanto à menor ou maior proximidade com o que consideravam ser uma boa história. Em ambas as tarefas, os textos-estímulo variavam em função da presença de características consideradas determinantes da estrutura de histórias.

De maneira geral, os resultados obtidos mostraram que, segundo os adultos, para ser uma história, o texto precisava: (i) ter um ser animado como personagem, havendo uma mudança no seu estado psicológico; (ii) conter uma sequência temporal de ações, e (iii) conter sequências reativas, implicando elos causais entre os eventos. Para as crianças, a presença de uma sequência reativa também era fundamental; tendendo a rejeitar como história textos-estímulo com sequências puramente descritivas

– com seres animados ou não. Semelhante aos adultos, as crianças não consideravam como sendo histórias textos-estímulo que continham apenas uma lista de características físicas e/ou emocionais, sem elos temporais ou causais. Tais resultados sugerem que a concepção de adultos e crianças não condiciona a história à presença de um objetivo norteando as ações do personagem – como é o caso de histórias do tipo sequência de ação e sequência reativa. De modo geral, verificou-se que o modelo de resolução de problema é o que mais se aproxima das expectativas de adultos e crianças quanto às características de uma história.

O procedimento adotado por Stein e Policastro (1984) inspirou pesquisas desenvolvidas no Brasil, abrindo novas perspectivas metodológicas quanto à possibilidade de se manipular experimentalmente a estrutura do texto[4], no caso, a estrutura típica de histórias. Se no cenário internacional o estudo de Stein e Policastro foi pioneiro, no Brasil foi Rego (1996) quem primeiro examinou, empiricamente, a consciência metatextual.

Em um estudo longitudinal, Rego (1996) investigou os critérios utilizados por crianças para definir histórias. Crianças com idades entre sete e oito anos foram avaliadas em quatro momentos ao longo de um ano com o objetivo de examinar se os critérios que utilizavam para definir histórias se alteravam com a idade e com o avanço em escolaridade. Em cada ocasião de avaliação as crianças tinham que julgar se um texto-estímulo lido pelo examinador era ou não uma história, justificando sua resposta. Os textos-estímulo eram histórias convencionais completas, histórias sem nexo e histórias incompletas – apenas com o início, o final ou apenas com o meio da história. Cada texto-estímulo era apresentado em uma versão longa e em uma versão curta. Com base nas justificativas oferecidas foram identificados os critérios que as crianças adotavam para definir histórias: critérios indefinidos, critérios objetivos, porém não associados à

---

4 Importante comentar que a ideia de segmentar o texto em função de suas características estruturais ou elementos constituintes não se restringiu apenas a estudos que envolviam a história, inspirando também investigações acerca de outros gêneros como textos de opinião, cartas e notícias de jornal. No entanto, como será visto a seguir, a história ainda é, sem dúvida, o texto mais investigado na pesquisa sobre consciência metatextual.

estrutura do texto (tamanho, presença de marcador linguístico de início de história), e critérios associados às partes constituintes de história (começo, meio e final). No início da investigação, por volta dos sete anos, as crianças adotavam o tamanho – histórias curtas não consideradas histórias –, e a presença de marcador linguístico de abertura – "Era uma vez..." como critérios em seus julgamentos. Porém, ao final da investigação, aos oito anos, as crianças passavam a adotar como critério os aspectos formais relacionados à estrutura de história.

A partir da ideia de segmentar o texto em partes em função de sua estrutura, examinou-se a consciência metatextual não apenas em relação à história, mas também em relação a outros textos usualmente veiculados em uma sociedade letrada e que são relativamente familiares às crianças desde cedo: a carta e a notícia de jornal. Considerando as características de cada um desses gêneros, foi conduzida uma série de estudos que tinham por objetivos investigar: (i) os critérios que as crianças adotam para identificar e definir diferentes textos; (ii) uma possível progressão em relação a esses critérios com o avanço da idade e da escolaridade; (iii) se o uso desses critérios e sua progressão variavam em função de classes sociais distintas; (iv) o papel desempenhado por intervenções específicas sobre a consciência metatextual; e (v) as relações entre consciência metatextual e a produção de textos (Albuquerque & Spinillo, 1997; 1998; Ferreira & Spinillo, 2003; Spinillo & Melo, 2008; Spinillo & Pratt, 2005).

Albuquerque e Spinillo (1997) investigaram a consciência metatextual em crianças de classe média com cinco, sete e nove anos de idade. Um texto-estímulo era lido para a criança, perguntando-se se o texto era uma história, uma carta ou uma notícia de jornal. Justificativas eram solicitadas após cada identificação. Os critérios adotados estavam relacionados aos aspectos linguísticos; aos aspectos pragmáticos, ou seja, à função social do texto; e ao conteúdo do texto. Com base no desempenho e nos critérios utilizados, foi possível classificar cada criança em níveis de desenvolvimento.

As crianças do Nível I não eram capazes de identificar o texto corretamente, tampouco especificavam os critérios que adotavam, exemplos: "Não sei"; "Eu já sabia porque sou sabida". As crianças do Nível II, embora também não especificassem os critérios adotados em seus julgamentos, eram capazes de fazer uma identificação correta dos textos. As crianças do Nível III identificavam corretamente os textos e usavam critérios vagos, exemplos: "porque parece o jeito de falar de uma história"; "porque em carta tem esse jeito de falar para outra pessoa"; "parece com a carta que a pessoa escreve para outra pessoa". Já as crianças do Nível IV faziam identificações corretas e adotavam critérios precisos, sendo eles:

(i) critérios baseados nos aspectos linguísticos, como por exemplo, os marcadores convencionais de abertura de história e de carta – saudação: "história porque começa com *era uma vez*"; "carta porque fala *querida*".

(ii) critérios baseados no conteúdo. No caso da história o conteúdo ficcional é mencionado: "história porque fala de coisas que não aconteceu de verdade" ou "fala de coisas de criança, assim, de faz-de-conta". Na carta é o conteúdo afetivo e privado o aspecto que mais chama a atenção na identificação: "carta porque eles dizem que estão com saudade" ou "carta porque tem, assim, mandando beijo". Na notícia é o conteúdo não fictício e de interesse público que é considerado: "notícia de jornal porque fala de uma coisa que aconteceu de verdade" ou "fala de vacinação, uma coisa que toda criança precisa saber".

(iii) critérios baseados na função. A função não foi utilizada como critério no julgamento de histórias; mas foi em relação à carta: "carta porque eles estão longe e só dá para falar pela carta" ou "carta por causa de que envia pelo correio, com envelope, para falar de longe"; e em relação à notícia de jornal: "notícia porque precisa anunciar, todo mundo precisa saber daquilo" ou "porque a notícia avisa a gente das coisas que aconteceram ontem".

Esses níveis refletem uma progressão quanto à consciência metatextual que se inicia por uma precária habilidade em discriminar os textos, em uma identificação incorreta, passando pela capacidade de discriminá-los corretamente, porém sem apresentar critérios definidos que tenham norteado as identificações feitas, e chegando, por fim, a um nível em que a criança tanto discrimina corretamente como ainda explicita os critérios adotados. Essa progressão varia em função da idade, observando-se uma grande concentração de crianças de cinco anos no Nível I e no Nível II, e de crianças entre sete e nove anos no Nível IV.

Dois pontos merecem ser destacados nesse estudo. Um é que havia crianças que mesmo fazendo identificações corretas tinham dificuldades em explicitar os critérios que adotavam em seus julgamentos. Esse é um dado interessante, pois sugere que algum esboço de uma consciência metatextual está se configurando. Esse esboço é, segundo Gombert (1992), um conhecimento epilinguístico, tema que será discutido mais adiante neste capítulo. Outro aspecto foi que, mesmo as crianças mais velhas que adotavam critérios precisos como a linguagem, o conteúdo e a função do texto, não adotavam a estrutura em suas identificações. Por que isso ocorria? As autoras levantaram a possibilidade de que a tarefa apresentada requeria uma reflexão global sobre os diferentes gêneros e não uma reflexão voltada para a estrutura interna dos textos. Como, então, levar as crianças a refletirem deliberadamente sobre a estrutura de um texto, suas partes constituintes e organização? Com isso em mente, Albuquerque e Spinillo (1998) conduziram um estudo subsequente em que crianças de cinco, sete e nove anos tinham que determinar se um texto-estímulo estava completo ou incompleto, justificando sua resposta. Os textos-estímulo eram história, carta e notícia de jornal apresentados em uma versão completa e em uma versão incompleta.

Semelhante ao estudo anterior, as crianças foram agrupadas em níveis de desenvolvimento que podem ser assim descritos: Nível I: não adotavam critérios definidos, tendendo a aceitar todos os textos-estímulo como completos; Nível II: adotavam critérios definidos como o conteúdo, a função e o tamanho, acertando alguns itens da tarefa; e Nível III: adotavam como critério a estrutura do texto, acertando no julgamento de todos os textos-estímulo de um mesmo gênero. Justificativas que incluíam a estrutura podem ser ilustradas a partir dos seguintes exemplos extraídos das entrevistas individuais: "essa (história) está incompleta porque está faltando o fim"; "está completa (história), porque começa *Era uma vez* e tem o final de como acaba"; "não está completa (carta), porque está faltando o início". De acordo com as autoras, a estrutura do texto foi adotada como critério porque neste estudo havia uma manipulação das partes do texto. Esses níveis expressam uma progressão que vai desde o uso de critérios indefinidos, passando por critérios definidos, mas que não envolviam a estrutura do texto, até um nível em que além do acerto sistemático, a criança adotava a estrutura como critério.

Os dados mostraram que as crianças de cinco anos basicamente usavam o conteúdo como critério em seus julgamentos, enquanto as mais velhas adotavam uma maior variedade de critérios, inclusive a estrutura. Um dado interessante foi que essa progressão não dependia exclusivamente da idade, mas também do gênero do texto. Por exemplo, o uso da estrutura como critério era mais frequente em relação à história e à carta do que em relação à notícia. Segundo Albuquerque e Spinillo (1998), isso ocorria porque na carta e na história a estrutura é algo mais evidente do que na notícia de jornal.

Dando continuidade a esse conjunto de investigações, Spinillo e Pratt (2005) compararam o conhecimento de crianças oriundas de classes sociais distintas sobre história, carta e notícia de jornal. Metade dos participantes era de classe média, com idades entre sete e oito anos, alunos da 1ª série do ensino fundamental. A outra metade era constituída por crianças de baixa renda que moravam nas ruas na cidade do Recife há pelo menos um ano, com idades entre nove e dez anos, com pouca ou nenhuma escolaridade – a maioria não era alfabetizada. Os grupos, portanto, diferiam acentuadamente quanto às características sociais e escolares que apresentavam, visto que o objetivo da pesquisa era investigar como diferentes contextos sociais influenciam o conhecimento sobre textos. O estudo envolvia uma tarefa de produção oral e uma tarefa de identificação de textos (replicação da tarefa de Albuquerque & Spinillo, 1998). Considerando os objetivos e o tema do presente capítulo, apenas os dados relativos à tarefa de identificação serão discutidos.

Observou-se que as crianças de classe média tiveram um desempenho superior em relação às crianças de rua quanto à identificação de histórias e de cartas, porém não em relação à identificação de notícias de jornal. As crianças de classe média tiveram um ótimo desempenho na identificação dos três gêneros. As crianças de rua, por sua vez, não tiveram dificuldades na identificação de notícias, embora tivessem dificuldades com a história e com a carta. Verificou-se, ainda, que elas raramente forneciam justificativas que explicitassem os critérios adotados em suas identificações. Mesmo em relação à notícia de jornal, que era o texto mais fácil de identificar, apenas 33,3% das crianças de rua eram capazes de fornecer justificativas que explicitassem os critérios adotados.

Com o intuito de compreender a natureza dos erros de identificação apresentados, foi realizada uma entrevista com alguns dos participantes de cada grupo. A entrevista, de natureza clínica, versava sobre o contato que os entrevistados tinham com textos no cotidiano, em casa, na escola e nas ruas, e sobre o que entendiam como sendo uma história, uma carta e uma notícia de jornal: "o que é uma história? o que é uma carta? o que é uma notícia de jornal?" Diferenças entre os grupos foram explicadas como derivadas de experiências distintas com textos no cotidiano de suas vidas. Enquanto as crianças de classe média têm um amplo contato com textos em casa e na escola nas mais diversas circunstâncias (ver Purcell-Gates, 1996; Sénéchal, LeFreve, Thomas & Daley, 1998; Carraher, 1986; 1987; Spinillo, Albuquerque & Lins e Silva, 1996), as crianças de rua não têm o mesmo tipo de acesso e de experiências com textos em seu cotidiano. A entrevista mostrou que as crianças de rua tinham mais contato com notícias de jornal do que com outros textos. Era comum, por exemplo, as crianças mais velhas e alfabetizadas lerem para as demais crianças de rua, pelo menos a primeira página dos jornais afixados nas bancas de revistas instaladas nas esquinas das ruas. Era comum, também, assistirem o noticiário na TV através das janelas de bares e restaurantes; como também, ouvir o noticiário no rádio. Essas experiências provavelmente geraram um maior conhecimento sobre notícias de jornal do que sobre cartas e histórias, gêneros esses que não faziam parte do cotidiano das crianças de rua.

As diferentes formas de investigar a consciência metatextual

Os estudos que examinam a consciência metatextual adotam uma técnica de investigação denominada *off-line* (Karmiloff-Smith, 1995). Esta técnica permite que a linguagem seja tomada como objeto de reflexão e análise, e não como um objeto de comunicação. Segundo Spinillo e Simões (2003), por meio desta técnica, o texto com o qual o indivíduo se depara não é o texto por ele produzido, -tampouco um texto a ser por ele compreendido. Na realidade, o texto com o qual se depara é um texto a ser analisado em uma situação fora de um contexto de uso. Considerando a definição proposta por Gombert (1992), esta técnica de investigação é apropriada para examinar a consciência metatextual.

Como mostram as pesquisas anteriormente descritas, existem variações quanto à maneira de se colocar o texto fora de um contexto de uso. Há pesquisas que envolvem a discriminação de diferentes gêneros de textos (e.g., Albuquerque & Spinillo, 1997; Spinillo & Pratt, 2005), enquanto outras envolvem a manipulação e segmentação de partes de textos de um mesmo gênero em função de suas características estruturais (e.g., Albuquerque & Spinillo, 1998; Rego, 1996; Stein & Policastro, 1984). As primeiras podem ser classificadas como sendo pesquisas que envolvem tarefas intertextuais e as demais como intratextuais. Tarefas intertextuais requerem que o indivíduo considere diferentes gêneros de textos, isto é, história, carta, notícia de jornal. Por sua vez, tarefas intratextuais requerem considerar aspectos internos ao texto que está sendo apresentado, como por exemplo, tarefas em que são apresentados textos anômalos para serem julgados – textos incompletos, sem nexo.

Outra característica das pesquisas na área é o fato de requerer, muitas vezes, explicitações verbais; como é o caso, por exemplo, quando se solicita que o indivíduo justifique seus julgamentos. Analisar as explicitações verbais permite compreender os critérios adotados nas identificações e julgamentos; e ainda inserir a habilidade de explicitar em uma perspectiva de desenvolvimento, como será discutido adiante. Segundo Gombert (1992), a explicitação verbal desempenha papel importante na atividade metatextual.

Considerando a diversidade de tarefas adotadas nas pesquisas na área, torna-se necessário saber o grau de complexidade de cada uma e o que, de fato, avaliam acerca da consciência metatextual. Esse é um aspecto importante tanto do ponto de vista teórico como metodológico. Do ponto de vista teórico é possível supor que tarefas distintas avaliem facetas distintas da consciência metatextual, bem como níveis crescentes de complexidade estejam relacionados ao desenvolvimento da consciência metatextual. Do ponto de vista metodológico, é necessário aprimorar e diversificar as técnicas de investigação e de análise sobre este tema de forma a capturar as diferentes facetas da consciência metatextual.

O desenvolvimento da consciência metatextual

O desenvolvimento da consciência metatextual é aqui abordado em duas perspectivas. Uma em que se procura responder a pergunta: como se desenvolve a consciência metatextual? Neste sentido, busca-se compreender o percurso do desenvolvimento. A outra perspectiva visa responder a pergunta: como desenvolver a consciência metatextual? Nesse sentido, busca-se compreender o que pode propiciar o desenvolvimento. Essas questões, de natureza teórico-aplicada, são tratadas a seguir.

Como se desenvolve a consciência metatextual: uma proposta

Algumas ideias surgem como centrais na atividade metatextual: reflexão consciente, controle e explicitação verbal.

De acordo com Gombert (1992; 2003), existe um conjunto de comportamentos que não são suficientemente abertos para a reflexão consciente, controle deliberado e explicitação verbal para que sejam caracterizados como sendo uma atividade metalinguística, referindo-se a eles como sendo epilinguísticos. Dentro dessa perspectiva, a distinção entre comportamento epilinguístico e comportamento metalinguístico está, portanto, no cerne da compreensão do desenvolvimento da consciência metatextual.

Comportamento epilinguístico e comportamento metalinguístico

De acordo com o modelo de desenvolvimento proposto por Gombert (1992; 2003), comportamentos que se assemelham a uma atividade metalinguística, mas que não são conscientemente controlados e explicitados pelo indivíduo, são denominados comportamentos epilinguísticos[5]. Esses comportamentos estão em ação em todo tratamento linguístico e evoluem espontaneamente a partir do desenvolvimento da linguagem. Podemos citar como exemplos de comportamentos epilinguísticos a sensibilidade precoce à gramaticalidade das frases que gera autocorreções durante a conversação, como por exemplo: corrigir uma palavra imediatamente após pronunciá-la, nos erros de sintaxe ou de articulação; realizar ajustes tais como escolher uma palavra mais apropriada para substituir outra; realizar reparos em frase incorreta ou confusa de forma a torná-la mais clara para o interlocutor etc. Esses comportamentos estão mais ligados a um conhecimento tácito da língua do que a um domínio consciente das regras gramaticais. Esse tipo de reflexão sobre a linguagem, que é feito de maneira espontânea e a um nível implícito, servirá de base para reflexões futuras mais controladas e explícitas a respeito dos aspectos da linguagem (Garton & Pratt,

---

5 Segundo Gombert (2003) este termo foi introduzido na literatura por Culioli em 1968. Culioli (1990, em Camps & Milian, 2000) faz a distinção entre uma atividade metalinguística inconsciente (epilinguística) e uma atividade metalinguística consciente que pode vir acompanhada do uso de uma metalinguagem.

1998; Gombert, 1992, 2003; Karmiloff-Smith, Johnson, Grant, Jones, Karmiloff, Bartrip & Cuckle, 1993).

Há, portanto, uma hierarquia em relação ao comportamento epilinguístico e metalinguístico. Esse modelo de desenvolvimento proposto por Gombert (1992) tem como suporte empírico pesquisas conduzidas a respeito da consciência fonológica, morfológica e sintática, ou seja, outras consciências que não a metatextual. Cabe, portanto, perguntar se este modelo também se aplicaria à consciência metatextual.

A partir das investigações por nós conduzidas e publicadas no período de 1997 a 2005 busca-se compreender como se caracteriza uma atividade epilinguística e uma atividade metalinguística em relação a textos. Esse é um desafio, visto que pesquisas nessa área são raras e, além disso, o próprio Gombert não realizou investigações sobre a consciência metatextual.

Com base nos níveis por nós identificados a partir dos resultados obtidos em pesquisas com crianças, é possível propor o seguinte modelo de desenvolvimento quanto à consciência metatextual:

Epilinguístico: a criança é capaz de fazer julgamentos corretos, como por exemplo, identificar qual o texto que foi apresentado (Albuquerque & Spinillo, 1997) ou determinar se um dado texto está completo ou incompleto (Albuquerque & Spinillo, 1998) ou se um dado texto está apropriado ou não (Rego, 1996; Stein & Policastro, 1984). No entanto, quando solicitada a justificar seus julgamentos, a criança não é capaz de explicitar verbalmente os critérios que adotou, fornecendo justificativas vagas, subjetivas ou mesmo não fornecendo qualquer explicação.

Metalinguístico: a criança faz julgamentos corretos e ainda é capaz de explicitar verbalmente os critérios que usou. Com base nos critérios adotados, duas instâncias de um comportamento metalinguístico são observadas em relação à consciência metatextual. Uma instância diz respeito ao uso de critérios que embora relacionados ao texto não são critérios marcadamente linguísticos, como o conteúdo e a função. Outra instância diz respeito a critérios marcadamente linguísticos como a estrutura do texto, organização de suas partes constituintes e suas convenções linguísticas. Enquanto os aspectos linguísticos são instâncias internas ao texto, os aspectos não linguísticos, como são de natureza pragmática, envolvem conhecimentos que se estendem além dos componentes do sistema linguístico em si mesmo. Entendemos que tomar essas instâncias como objeto de reflexão seja uma atividade de natureza metalinguística, pois envolvem consciência, controle e explicitação verbal, porém esta consciência, controle e explicitação ocorrem sobre os contextos de uso em que os textos se inserem, e não sobre as características internas do texto. No entanto, a atividade metatextual voltada para as relações internas ao texto representa um nível de abstração que é alcançado por meio de situações de ensino.

Essas duas instâncias parecem ter origens sociais distintas por meio de aprendizagem informal em contextos como a casa e as ruas, e de aprendizagem formal propiciada pelo contexto escolar. O conteúdo do texto e suas funções são aspectos que podem ser apreendidos informalmente pelo indivíduo em situações do cotidiano e, por isso, mais precoces e mais comuns de serem experimentadas. Por sua vez, a estrutura do texto e suas convenções linguísticas estão mais associadas a experiências formais escolares, sobretudo em relação à aprendizagem da linguagem escrita. Segundo nossa análise, considerar como critério os aspectos linguísticos é mais complexo do que considerar outros critérios com o conteúdo e função. A literatura mostra que são as crianças mais velhas e em séries mais adiantadas que mais adotam critérios linguísticos internos ao texto em seus julgamentos.

Além da explicitação verbal, outro aspecto importante nesse desenvolvimento é, como mencionado, o controle. O controle depende em grande parte da atividade metatextual que o indivíduo realiza, havendo atividades que demandam um maior controle do que outras. Por exemplo, o controle é maior em tarefas que segmentam o texto, requerendo que a atenção do indivíduo se volte para suas partes constituintes (Albuquerque & Spinillo, 1998; Rego, 1996). Por outro lado, há tarefas que exigem um menor controle, como aquela em que se solicita identificar qual o texto que está sendo apresentado (Albuquerque & Spinillo, 1997; Spinillo & Pratt, 2005).

Assim, parece que tarefas distintas avaliam facetas distintas da consciência metatextual. Há tarefas que permitem que surjam tanto comportamentos epilinguísticos como metalinguísticos, demandando do indivíduo controle e explicitação verbal. Há tarefas que permitem que surjam critérios relacionados a aprendizagens informais, como conteúdo, função, enquanto outras permitem que surjam critérios relacionados a aprendizagens escolares – estrutura, organização, convenções linguísticas. O pesquisador precisa estar atento a essa variabilidade ao fazer suas opções metodológicas. Tarefas envolvendo textos anômalos a serem julgados, por exemplo: textos incompletos, textos sem nexo; como a tarefa de Rego (1996) e de Albuquerque e Spinillo (1998) que talvez sejam aquelas que mais demandem do indivíduo controle e explicitação verbal, e ainda algum nível de aprendizagem escolar. Outras tarefas podem demandar apenas conhecimento informal sobre textos (Albuquerque & Spinillo, 1997; Spinillo & Pratt, 2005).

Considerando o modelo de desenvolvimento proposto neste capítulo, estimular comportamentos metalinguísticos além de epilinguísticos parece ser o grande passo no desenvolvimento da consciência metatextual. Habilidades metatextuais se desenvolvem gradativamente, tendo raízes tanto nas situações de uso e nas experiências com textos em situações informais do cotidiano – em casa, nas ruas; como também em situações de instrução sobre a linguagem escrita – no contexto escolar.

Como desenvolver a consciência metatextual: algumas considerações

Uma das grandes contribuições da psicologia do desenvolvimento cognitivo para a educação[6] reside na possibilidade de, uma vez proposta uma progressão na aquisição de um dado conceito, seja ele linguístico, científico, matemático, moral etc., situar o conhecimento da criança frente a essa progressão e apontar as dificuldades que enfrenta; para então gerar propostas educacionais com vistas a desenvolver o conceito em questão. Assim, tomando por base a progressão acima proposta acerca do desenvolvimento da consciência metatextual e a partir da ideia de que a instrução desempenha papel fundamental nesse desenvolvimento, são tecidas algumas considerações de natureza educacional.

Gombert (1992; 2003) admite a influência de fatores externos no desenvolvimento da consciência metalinguística, minimizando a ideia de que o conhecimento se modifica exclusivamente em função de fatores internos. Essa ênfase na contribuição dos fatores externos o levou a conferir particular importância à instrução no desenvolvimento de habilidades metalinguísticas. Afirma o autor que o domínio da linguagem escrita levará a níveis sofisticados de controle e de explicitação verbal que não são encontrados em crianças pequenas e nem em indivíduos com pouca ou nenhuma escolaridade.

Para explicar a relação entre consciência metalinguistica e aprendizagem da leitura e da escrita, torna-se essencial discutir duas ideias: aprendizagem implícita e aprendizagem explícita. Enquanto comportamentos epilinguísticos se derivam de aprendizagens implícitas, comportamentos metalinguísticos, em sua maioria, resultam de aprendizagens explícitas, em geral de natureza escolar. Neste sentido, a aprendizagem escolar tem papel fundamental no desenvolvimento metalinguístico do indivíduo, de maneira mais ampla e na consciência metatextual de maneira específica.

---

6 As relações entre aprendizagem e desenvolvimento cognitivo são, há muito, objeto de estudo por parte de autores tanto em termos gerais como em termos específicos frente a algum conceito em particular. Essas relações são discutidas por Brainerd (1987); Spinillo (1999); e Spinillo & Lautert (2008).

APRENDIZAGEM IMPLÍCITA E APRENDIZAGEM EXPLÍCITA

Da mesma forma como ocorre com a aprendizagem da leitura e da escrita, a aprendizagem de textos envolve, de maneira complementar, conhecimento implícito e explícito.

Muitos conhecimentos sobre a leitura e a escrita se derivam de contatos informais com os sistemas de escrita. Esses contatos podem gerar, por exemplo, conhecimentos sobre algumas das regularidades relativas à sintaxe, à morfologia e à fonologia. No entanto, são as situações de instrução, de ensino, que permitem ler todo item escrito, inclusive pseudopalavras, e dominar a escrita – escrever palavras desconhecidas e pseudopalavras, obedecendo as regras ortográficas e gramaticais. É através de situações de instrução que a linguagem passa a ser tratada como um objeto a ser refletido e aprendido, gerando conhecimento explícito que vai permitir realizar atividades metalinguísticas e não apenas epilinguísticas.

No que concerne a textos, é possível pensar-se de forma análoga, quanto mais o indivíduo entra em contato com textos, mais conhecimentos implícitos sobre textos serão gerados. Por exemplo, é possível que distinguir diferentes gêneros, como no estudo de Albuquerque e Spinillo (1997) e de Spinillo e Pratt (2005), seja resultado de conhecimentos implícitos decorrentes de contatos informais com textos na rua e em casa. Como mostrado por Spinillo e Pratt, a partir de ouvir a leitura de jornais pelos colegas alfabetizados, de ouvir notícias no rádio e na TV, as crianças de rua desenvolveram um maior conhecimento sobre notícias de jornal do que sobre história e carta. Esse conhecimento decorreu de uma aprendizagem informal.

Segundo Gombert (2003), os processos implícitos são insuficientes para conduzir a uma leitura eficiente. Da mesma forma, podemos supor que os processos implícitos, tais como ser capaz de discriminar uma história de uma carta, são insuficientes para gerar conhecimentos acerca do fato de que histórias têm começo, meio e fim; que a carta se inicia com local e data, seguida de uma saudação ao destinatário, concluindo com a despedida e o nome do remetente. Embora esses conhecimentos se construam também sobre as bases das aprendizagens informais e implícitas, eles necessitam de aprendizagem formais explícitas – ensino, para que sejam realizados tratamentos metalinguísticos sobre eles (ver Schneuwly & Dolz, 2004).

Um exemplo de uma situação de aprendizagem explícita é o estudo conduzido por Ferreira (1999), que tinha por objetivo examinar o efeito de uma intervenção voltada para a explicitação da estrutura e convenções linguísticas próprias de histórias sobre a produção e sobre a consciência metatextual relativas à história. A intervenção, propiciada a crianças de baixa renda, alunas de 1ª e 2ª séries do ensino fundamental, consistia em explicitamente ensinar que histórias possuem um começo, um meio e um final; que apresentam uma organização de suas partes; e que possuem convenções linguísticas que as caracterizam. Os participantes foram divididos em um grupo controle e um grupo experimental, sendo a intervenção proporcionada apenas às crianças do grupo experimental. Um pré-teste e um pós-teste foram aplicados, tendo por objetivo avaliar a produção oral de histórias e a consciência metatextual dos participantes. As produções orais foram analisadas de acordo com o sistema de análise adotado por Spinillo e Pinto (1994) e a consciência metatextual foi avaliada com base no sistema de análise proposto por Albuquerque e Spinillo (1998). No pós-teste verificou-se que as crianças do grupo experimental alcançavam níveis mais sofisticados de consciência metatextual do que as do grupo controle, e que apenas as crianças do grupo experimental mostraram um avanço nos níveis de consciência metatextual ao se comparar os resultados do pré-teste com os do pós-teste. Esses dados indicam que a intervenção, de fato, auxiliou a promover o desenvolvimento da consciência metatextual referente a histórias.

Desse estudo derivou-se uma pesquisa em que foram examinadas as relações entre consciência metatextual e produção de textos. A pergunta feita por Ferreira e Spinillo (2003) neste estudo era: Será que, ao tomar consciência do esquema prototípico de histórias, as crianças seriam capazes de aplicá-lo a suas produções, passando a produzir histórias mais elaboradas? Em outras palavras, de forma mais específica: será que explicitar para as crianças que histórias possuem um começo, um meio e um final; que apresentam uma organização de suas partes e que possuem convenções linguísticas teria um efeito positivo sobre a produção oral de histórias?[7] Os dados mostraram que sim. As crianças do grupo experimental se beneficiaram da intervenção proposta, visto que: tiveram produções mais elaboradas do que as crianças do grupo controle no pós-teste, e produziram histórias mais elaboradas após a intervenção (pós-teste) do que antes dela (pré-teste), o mesmo não ocorrendo com o grupo controle. Os avanços no grupo experimental foram maiores tanto em número de crianças que progrediam como em relação à natureza dos avanços que se caracterizavam por progressões expressivas que variavam de produções elementares e incompletas até histórias completas com uma estrutura narrativa elaborada.

Tomados de forma conjunta, os estudos acima apresentados levam à conclusão de que uma intervenção baseada em uma aprendizagem explícita acerca da estrutura interna de textos pode desenvolver tanto a consciência metatextual como a capacidade de produzir textos oralmente. Na realidade, do ponto de vista psicológico, estamos diante de uma questão teórica importante – a existência de relações entre a consciência metatextual e a produção de textos; do ponto de vista educacional, estamos diante de uma implicação pedagógica não menos relevante – a possibilidade de efetivamente desenvolver, em crianças, a habilidade de produzir textos.

CONSIDERAÇÕES TEÓRICAS

"... aqueles que trabalham com linguagem devem ser capazes de, nela, focalizar sua atenção. Isto significa que devem ser conscientes em termos metalinguísticos" (Garton & Pratt, 1998, p.150).

---

7 Recentemente foi feita uma replicação deste estudo, porém em relação à escrita de histórias; analisando, além da estrutura (Spinillo & Melo, 2008), o uso de recursos coesivos pela criança (Melo & Spinillo, 2008). Para maiores detalhes acerca das relações entre coesivos e estrutura narrativa consultar Spinillo (2005).

Annette Karmiloff-Smith (1985; 1986; 1995) e Jean-Émile Gombert (1992; 2003) são nomes de referência na área de desenvolvimento metalinguístico. Ela, interessada na dinâmica do desenvolvimento, discute as diferentes representações que caracterizam os sucessivos níveis de funcionamento cognitivo, propondo um modelo que, dentre outros domínios específicos do conhecimento, se aplica à linguagem em geral e ao desenvolvimento metalinguístico em particular. Ele, com interesses diretamente voltados para o estudo do desenvolvimento metalinguístico, e suas relações com a leitura e a escrita, reformulou o modelo de Karmiloff-Smith[8], estabelecendo a importante distinção entre comportamento epilinguístico e metalinguístico; e ainda conferindo uma maior ênfase aos fatores externos nesse desenvolvimento do que o fizera a autora em seu modelo. Neste sentido, ele atribuiu papel relevante ao ensino formal nesse desenvolvimento, sobretudo em relação à aprendizagem da leitura e da escrita. Foi Gombert, também, quem introduziu o termo *metatextual*, ao nomear este domínio específico da metalinguística, tornou possível não apenas investigar esta área do conhecimento, mas referir-se a ela. Com a introdução deste termo foi possível focalizar nossa atenção, enquanto pesquisadores da linguagem, no texto, da mesma forma como fazemos em relação ao fonema, à palavra e à frase. Nesse cenário teórico foi elaborado o presente capítulo, cujo desafio foi abordar um tema que, por um lado, conta com um suporte conceitual substancial, mas que, por outro, conta com um suporte empírico em expansão. Além de apresentar uma proposta de desenvolvimento acerca da consciência metatextual, o capítulo procurou apresentar e discutir a literatura sobre um tema ainda muito pouco conhecido no Brasil e que, mesmo no âmbito internacional, ainda necessita ser empiricamente explorado.

O que é consciência metatextual? Como uma atividade metatextual pode ser caracterizada, reconhecida e acessada?

---

8 Outra diferença entre o modelo de Gombert e o de Karmiloff-Smith refere-se àquilo que o primeiro denomina de metaprocesso automático que embora não envolva controle e consciência, não deve ser confundido com comportamentos epilinguísticos (Gombert, 1992).

Como se caracteriza seu desenvolvimento? Como desenvolvê-la? Essas perguntas remetem a questões relevantes de natureza teórica, metodológica e aplicada que foram tratadas neste capítulo. Embora sejam necessárias mais investigações, os dados obtidos nas pesquisas aqui apresentadas fornecem informações relevantes sobre o estado atual das discussões acerca deste tema.

Na realidade, a atividade metatextual envolve múltiplos olhares sobre o texto por parte daquele que, geralmente por uma demanda externa, realiza tal atividade. Ao tomar o texto como objeto de reflexão e análise, o indivíduo se depara com a necessidade de considerar os aspectos linguísticos que o constituem e os aspectos não linguísticos relacionados aos contextos de uso em que o texto se insere. Essa consciência sobre o texto parece estar também associada à consciência pragmática[9]. Existem, assim, duas instâncias da consciência metatextual, fato este que não se aplica a outras unidades linguísticas como o fonema, por exemplo. É exatamente esse ponto que não é contemplado no modelo mais geral de desenvolvimento metalinguístico proposto por Gombert (1992), mas que precisa ser considerado ao se propor um modelo de desenvolvimento específico acerca da consciência metatextual.

No entanto, apesar desse afastamento, o modelo de desenvolvimento ora apresentado mantém-se em acordo com o modelo de Gombet (1992; 2003) em sua essência: quanto à direção da progressão, de comportamento epilinguísticos para comportamentos metalinguísticos; quanto ao papel relevante atribuído ao controle e à explicitação verbal nesta progressão; e quanto à importância da aprendizagem explícita nesse desenvolvimento. O que esta proposta de desenvolvimento traz é uma perspectiva em que, em relação à consciência metatextual, o conteúdo do texto (assunto tratado), e as situações de uso, além de seus aspectos marcadamente linguísticos (estrutura e convenções linguísticas), também se constituem em aspectos que podem ser tratados metalinguisticamente. Essa perspectiva

---

9 Maiores detalhes acerca da consciência pragmática ou metapragmática, consultar Pratt e Nesdale (1984) e Gombert (1992).

diminui a dicotomia que existe entre a comunicação e a metalinguagem, pelo menos em relação a textos[10].

O que se pode concluir é que a consciência metalinguística não é um fenômeno que possa ser considerado em bloco, cujo desenvolvimento se processe de forma homogênea em relação a todas as instâncias. Embora haja características gerais a serem consideradas nesse desenvolvimento, é necessário considerar as peculiaridades de cada unidade linguística tratada no âmbito da metalinguística.

CONSIDERAÇÕES EDUCACIONAIS

A escola atua como um fator que vai mediar e propiciar o desenvolvimento da consciência metatextual a um nível intralinguístico e explícito. Caberia à escola a tarefa de desenvolver a consciência metatextual, acrescentando ao conhecimento implícito um conhecimento explícito e consciente, promovendo situações didáticas que levem as crianças a realizar um tratamento linguístico do texto. Concordamos com Gombert (2003) e com Demont e Gombert (2004) de que a consciência metalinguística se desenvolve a partir da aprendizagem explícita geralmente proporcionada por situações de instrução, passando a escola a ser, assim, fator crucial no desenvolvimento metalinguístico.

É comum no contexto escolar a realização de atividades metatextuais, tais como solicitar a criança a revisar seus textos escritos. De modo geral, a própria aquisição da leitura e da escrita coloca a criança em contato com um maior número e diversidade de experiências com textos que não ocorrem em outras situações. Enquanto em situações extraescolares o texto é apenas inserido em contextos comunicativos, na sala de aula o texto não é instrumento de comunicação apenas, mas é também objeto de ensino-aprendizagem. Ao se transformar em um objeto, distanciando-se das situações comunicativas

---

10 O que se deseja ressaltar é que este modelo, em que os aspectos comunicativos são também considerados, parece ser adequado para textos, porém não se pode fazer tal afirmação em relação a outras unidades linguísticas como o fonema.

(de uso: produção e compreensão), o texto passa a ser alvo de uma atividade de natureza metalinguística. No entanto, ainda é necessário que na escola seja dada uma maior ênfase à capacidade de tomar o texto como objeto de análise e reflexão. As propostas curriculares mais recentes (MEC, 1997) estão, ainda, longe de oferecer subsídios que permitam inserir a consciência metatextual na prática de sala de aula. O que se observa é uma ênfase nas situações de comunicação em detrimento de situações que envolvam atividades metalinguísticas. Entende-se que esta ênfase é uma reação ao ensino tradicional que pouco privilegia os aspectos discursivos e comunicativos da linguagem. Entretanto, tão importante quanto promover situações de uso de produção e compreensão de textos de diferentes gêneros, é promover no contexto escolar situações voltadas para a realização de atividades metalinguísticas em geral e metatextuais em particular (ver Morais & Silva, 2006).

CONSIDERAÇÕES ACERCA DE PESQUISAS FUTURAS

Como comentado, a escola tem papel fundamental no desenvolvimento da consciência metatextual. Mas como investigar o efeito da escolarização/alfabetização sobre a consciência metatextual? Essa é uma questão relevante, porém difícil de investigar, pois como afirma Mota, existem fatores complexos envolvidos, tais como o desenvolvimento cognitivo, a escolarização e a alfabetização. Em uma sociedade como a nossa, a aprendizagem da leitura e da escrita ocorre na escola, sendo portanto difícil separar esta aprendizagem da escolaridade. Além disso, como a grande maioria das crianças frequenta escola, e o aumento em escolaridade é acompanhado de aumento da idade, é difícil separar o desenvolvimento cognitivo da escolaridade. Uma forma de examinar esses aspectos é comparar a consciência metatatextual em indivíduos de mesma idade e com níveis distintos de escolarização/alfabetização (crianças de rua e crianças de mesma classe social, porém frequentando escolas; adultos alfabetizados e não alfabetizados) ou a partir de um estudo longitudinal investigando adultos antes e após haverem sido formalmente alfabetizados em programas de educação de jovens e adultos. Pode-se ainda examinar esses aspectos comparando a consciência metatextual em indivíduos de mesmo nível de escolarização/alfabetização e em idades distintas (crianças de baixa renda alunas de séries iniciais e adultos de baixa renda alunos de programas de alfabetização).

Além da escolarização, pesquisas futuras precisam explorar as relações entre consciência metatextual e outras habilidades linguísticas, como a produção e a compreensão de textos. Os estudos de Ferreira (1999) e Ferreira & Spinillo (2003) examinaram as relações entre a produção oral de histórias e a consciência metatextual referente à estrutura de histórias, mostrando que a habilidade de produção se beneficia do conhecimento sobre a estrutura do texto. Será que o mesmo ocorreria em relação à produção escrita? Será que o mesmo ocorreria em relação a outros gêneros de textos? E quanto à compreensão de textos? Conhecer a estrutura do texto auxiliaria a compreensão de histórias? Quanto a essa última questão há resultados controversos (e.g., Cain & Oakhill, 1996; Simões, 2002) que merecem ser retomados e esclarecidos. Se, de fato, houver uma relação entre consciência metatextual e a produção e a compreensão de textos, estaremos diante de um conhecimento linguístico poderoso que, uma vez dominado, poderá ter repercussões favoráveis sobre outras habilidades linguísticas.

Assim, há muito a ser investigado acerca de como avaliar, acessar e desenvolver a consciência metatextual, bem como a respeito das relações entre ela e outras habilidades linguísticas. As pesquisas brasileiras neste campo de estudo oferecem uma contribuição empírica à teoria e abrem um campo de investigação promissor e pouco explorado.

REFERÊNCIAS

ALBUQUERQUE, E. B. C. & SPINILLO, A. G. O conhecimento de crianças sobre diferentes tipos de texto. *Psicologia: Teoria e Pesquisa*, 1997, 13 (3), p. 329-338.

_____. Consciência textual em crianças: critérios adotados na identificação de partes de textos. *Revista de Estudios e Investigación en Psicoloxía e Educación*, 1998, 3 (2), p. 145-158.

ANTUNES, I. C. *Aspectos da coesão do texto: uma análise em editoriais jornalísticos*. Recife: Editora da Univeristária da UFPE, 1996.

BIALYSTOK, E. Metalinguistic awareness: The development of children's representations of language. In: C. Pratt & A.F. Garton (Orgs.), *Systems of representation in children: development and use*. Chichester: Wiley, 1993, p. 211-234.

BRAINERD, C. J. Modifiability of cognitive development. In: S. Meadows (Org.), *Developing thinking: approaches to children's cognitive development*. London: Methuen, 1987, p. 26-66.

CAIN, K. & OAKHILL, J. The nature of the relationship between comprehension skill and the ability to tell a story. *British Journal of Developmental Psychology*, 1996, 14, p. 187-201.

CAMPS, A. & MILIAN, M. Metalinguistic activity in learning to write: an introduction. In: A. Camps & M. Milian (Orgs.), *Metalinguistic activity in learning to write*. Amsterdam: Amsterdam University Press, 2000, p. 1-28.

CARRAHER, T. N. Alfabetização e pobreza: três faces da realidade. In: S. Kramer (Org.), *Alfabetização: dilemas da prática*. Rio de Janeiro: Dois Pontos, 1986, p.47-98.

_____. Illiteracy in a literate society: Understanding reading failure in Brazil. In: D. Wagner (Org.), *The future of literacy in a changing world*. Oxford: Pergamon Press, 1987, p.95-110.

CAZDEN, C. R. Play with language and metalinguistic awareness: one dimension of language experience. *The Urban Review*, 1974, 7, p. 28-39.

DEMONT, E. & GOMBERT, J. E. Lápprentissage de la lecture: évolution des procédures et apprentissage implicite. *Enfance*, 2004, 3, p. 245-257.

FERREIRA, A. L. *Produção e consciência metalinguística de textos em crianças:* Um estudo de intervenção. Dissertação de mestrado não publicada. Curso de pós-graduação em Psicologia Cognitiva. Recife. Universidade Federal de Pernambuco, 1999.

FERREIRA, A. L. & SPINILLO, A. G. Desenvolvendo a habilidade de produção de textos em crianças a partir da consciência metatextual. In: M. R. Maluf (Org.), *Metalinguagem e aquisição da escrita:* Contribuições da pesquisa para a prática da alfabetização. São Paulo: Casa do Psicólogo, 2003, p. 119-148.

GARTON, A. & PRATT, C. *Learning to be literate:* The development of spoken and written language. Oxford: Blackwell Publishers, 1998.

GOMBERT, J. E. Metalinguistic development. Harvester: Wheatsheaf, 1992.

____. Atividades metalinguísticas e aprendizagem da leitura. In: M. R. Maluf (Org.), *Metalinguagem e aquisição da escrita:* Contribuições da pesquisa para a prática da alfabetização. São Paulo: Casa do Psicólogo, 2003, p.19-64.

HERRIMAN, M. L. Metalinguistic awareness and the growth of literacy. In: S. Castell; A. Luke & K. Egan (Orgs.), *Literacy, society and schooling.* Cambridge: Cambridge University Press, 1986, p. 159-174.

HARRIS, P. L. et al. Chisldren's detection and awareness of textual anomaly. *Journal of Experimental Child Psychology,* 1981, 31, p. 212-230.

KARMILOFF-SMITH, A. Language and cognitive processes from a developmental perspective. *Language and Cognitive Processes,* 1985, 1, p. 61-85.

____. From meta-processes to conscious access: evidence from chidren's metalinguistic and repair data. *Cognition,* 1986, 23, p. 95-147.

____. *Beyond modularity: a developmental perspective on cognitive science.* Massachusetts: Massachusetts Institute of Technology, 1995.

KARMILOFF-SMITH et al. From sentential to discourse functions: detection and explanation of speech repairs in children and adults. *Discourse Processes*, 1993, 16, p. 565-589.

MARKMAN, E. M. Realizing that you don't understand: Elementary school children´s awareness of inconsistencies. *Child Development*, 1979, 50, p. 643-655.

MARKMAN, E. M. & GORIN, L. Children's ability to adjust their standards for evaluating comprehension. *Journal of Educational Psychology*, 1981, 73, p. 320-325.

MELO, K. & SPINILLO, A. G. Developing the use of cohesive devices by developing the narrative structure: an analysis of children's written stories. *11th International Conference of the EARLI Special Interest Group on Writing*. Lund, Sweden, 2008, p. 60.

MORAIS, A. G. de & SILVA, A. da. Produção de textos escritos e análise linguística na escola. In:T. F. Leal & A. C. P. Brandão (Orgs.), *Produção de textos na escola:* Reflexões e práticas no ensino fundamental. Belo Horizonte: Autêntica, 2006, p. 135-150.

MEC. *Parâmetros Curriculares Nacionais:* Língua Portuguesa, Secretaria de Educação Fundamental, Brasília, 1997.

MORAIS, A. G. de & SILVA, A. da. Produção de textos escritos e análise linguística na escola. In: T. F. Leal & A .C. P. Brandão (Orgs.). *Produção de textos na escola*: Reflexões e práticas no ensino fundamental. Belo Horizonte: Autêntica, 2006, pp. 135-150.

MOTA, M. (submetido). Schooling and syntactic awareness development in Brazilian Portuguese. *Interamerican Journal of Psychology*.

NESDALE, A. R. & TUNMER, W. E. The development of metalinguistic awareness: A methodological overview. In: W. E. Tunmer; C. Pratt & M. L. Herriman (Orgs.), *Metalinguistic awareness in children:* Theory, research and implications. New York: Springer-Verlag, 1984, p.36-54.

PERNER, J. Developing semantics for theories of mind: From propositional attitudes to mental representations. In: J. Astington, P. L. Harris & D. R. Olson (Orgs.) *Developing theories of mind*. Cambridge: Cambridge University Press, 1988.

PRATT, C. & GRIEVE, R. The development of metalinguistic awareness: an introduction. In: W. E. Tunmer; C. Pratt & M. L. Herriman (Orgs.), *Metalinguistic awareness in children:* Theory, research and implications. New York: Springer-Verlag, 1984, p.2-11.

PURCELL-GATES, V. Stories, coupons, and TV Guide: relationships between home literacy experiences and emergent literacy knowledge. *Reading Research Quarterly*, 1996, 31 (4), p. 406-428.

REGO, L. L. B. Um estudo exploratório dos critérios utilizados pelas crianças para definir histórias. Em M. G. B. B. Dias & A. G. Spinillo (Orgs.), *Tópicos em Psicologia Cognitiva*. Recife: Editora Universitária da UFPE, 1996, p.120-138.

RUFFMAN, T. Reassessing children's comprehension-monitoring skills. In: C. Cornoldi & J. Oakhill (Orgs.), *Reading comprehension difficulties:* Processes and intervention. Hillsdale, N.J.: Lawrence Erlbaum Associates, 1996, p.33-67.

SCHNEUWLY, B. & DOLZ, J. Os gêneros escolares: das práticas de linguagem aos objetos de ensino. B. Schneuwly & J. Dolz (Orgs.), *Gêneros orais e escritos na escola*. Campinas: Mercado de Letras, 2004, p. 71-95.

SÉNÉCHAL, M. et al. Differential effects of home literacy experiences on the development of oral and written language. *Reading Research Quarterly*, 1998, 33 (1), p. 96-116.

SIMÕES, P. M. U. *O desenvolvimento da consciência metatextual e suas relações com a compreensão de histórias*. Tese de doutorado não publicada. Curso de Pós-Graduação em Psicologia Cognitiva. Recife: Universidade Federal de Pernambuco, 2002.

SPINILLO, A. G. As relações entre aprendizagem e desenvolvimento discutidas a partir de pesquisas de intervenção. *Arquivos Brasileiros de Psicologia*, 1999, 51 (1), p. 55-74.

_____. O uso de coesivos por crianças com diferentes níveis de domínio de um esquema narrativo. Em M. G. B. B. Dias & A. G. Spinillo (Orgs.), *Tópicos em Psicologia Cognitiva*, 2. ed.. Recife: Editora Universitária da UFPE, 2005, p. 83-116.

_____. O leitor e o texto: Desenvolvendo a compreensão de textos na sala de aula. *Interamerican Journal of Psychology*, 2008, 42 (1) p. 29-40.

SPINILLO, A. G.; ALBUQUERQUE, E. G. C. de & LINS e SILVA, M. E. "Para que serve ler e escrever?" O depoimento de alunos e professores. *Revista Brasileira de Estudos Pedagógicos*, 1996, 77 (184), P. 477-496.

SPINILLO, A. G. & LAUTERT, S. L. O diálogo entre a psicologia do desenvolvimento cognitivo e a educação matemática. In: L. de L. Meira & A. G. Spinillo (Orgs.), *Psicologia Cognitiva: Cultura, desenvolvimento e aprendizagem*. Recife: Editora Universitária da UFPE, 2006.

_____. Pesquisa de intervenção em psicologia do desenvolvimento cognitivo: reflexões e resultados. Em J. Correa; V. L. Besset & L. R. de Castro (Orgs.), *Pesquisa-intervenção na infância e adolescência*. Rio de Janeiro: Editora da UERJ, 2008, p. 294-321.

SPINILLO, A. G. & LIMA, E. F. (em preparação). *Revisão de textos por crianças:* Individualmente e em interação com outra criança.

SPINILLO, A. G. & LIMA, M. B. Comment les enfants utilisent et comprennent les signes de ponctuation dans la reproduction d'histoiries. *Lettre de l'Association Internationale de Recherche en Didactique du Français (AIRDF)*, 2005, 2, p.18-24.

SPINILLO, A. G. & MELO, K. The production of written stories and metatextual awareness: An intervention study with elementary school children. *11th International Conference of the EARLI Special Interest Group on Writing*. Sweden: Lund, 2008, p. 59.

SPINILLO, A. G. & PINTO, G. Children's narratives under different conditions: A comparative study. *British Journal of Developmental Psychology*, 1994, 12, p. 177-193.

SPINILLO, A. G. & PRATT, C. Sociocultural differences in children's genre knowledge. In: T. Kostouli (Org.), *Writing in context(s):* Textual practices and learning processes in sociocultural settings. New York: Springer, 2005, p. 27-48.

SPINILLO, A. G. et al. A aquisição da coesão textual: Uma análise exploratória da compreensão e da produção de cadeias coesivas. In: A. G. Spinillo; G. Carvalho & T. Avelar (Orgs.), *Aquisição da linguagem:* Teoria e pesquisa. Recife: Editora Universitária da UFPE, 2002.

SPINILLO, A. G. & SIMÕES, P. M. U. O desenvolvimento da consciência metatextual em crianças: Questões conceituais, metodológicas e resultados de pesquisas. *Psicologia: Reflexão e Crítica*, 2003, 16 (3), p. 537-546.

STEIN, N. L. & POLICASTRO, M. The concept of a story: A comparison between children's and teacher's viewpoints. In: H. Mandl; N. L. Stein & T. Trabasso (Orgs.), *Learning and comprehension of text*. Hillsdale, N.J.: Lawrence Erlbaum Associates, 1984, p.113-155.

TOLCHINSLY, L. Contrasting views about the object and purpose of metalinguistic work and reflection in academic writing. In: A. Camps & M. Milian (Orgs.), *Metalinguistic activity in learning to write*. Amsterdam: Amsterdam University Press, 2000, p. 29-48.

_____. Childhood conceptions of literacy. In: T. Nunes & P. Bryant (Orgs.), *Handbook of children's literacy*. London: Kluwer Academic Publishers, 2004, p.11-30.

TUNMER, W. E. & HERRIMAN, M. L. The development of metalinguistic awareness: A conceptual overview. In: W. E. Tunmer; C. Pratt & M.L. Herriman (Orgs.), *Metalinguistic awareness in children:* Theory, research and implications. Berlin: Springer-Verlag, 1984, p.12-35.

TUNMER, W. E.; NEASDALE, A. R. & PRATT, C. The development of young children's awareness of logical inconsistencies. *Journal of Experimental Child Psychology*, 1983, 36, p. 97-108.

YUILL, N. M. & OAKHILL, J. *Children's problems in text comprehension*. Cambridge: Cambridge University Press, 1991.

Sobre os autores

Alessandra Gotuzo Seabra Capovilla
Professora dos cursos de mestrado e doutorado em Avaliação Psicológica do Programa de Pós-Graduação *stricto sensu* em Psicologia da Universidade São Francisco; mestre, doutora e pós-doutorada em Psicologia Experimental pela Universidade de São Paulo; coordenadora de projetos apoiados pela FAPESP, CNPq e pesquisadora bolsista nível 1 de Produtividade em Pesquisa pelo CNPq; autora de livros e artigos na área de avaliação e intervenção em neuropsicologia, em desenvolvimento infantil e em distúrbios de linguagem escrita.

Alina Spinillo
Professora associada da Pós-graduação em Psicologia Cognitiva do Departamento de Psicologia da UFPE; pesquisadora nível 1 do CNPq; mestre em Psicologia Cognitiva pela Universidade Federal de Pernambuco; doutora em Psicologia do Desenvolvimento pela University of Oxford, Inglaterra; pós-doutorado na University of Sussex, Inglaterra.

Fernando César Capovilla
Psicólogo e mestre em Psicologia do Desenvolvimento pela Universidade de Brasília,, Ph.D. em experimental psychology pela Temple University; livre docente em Neuropsicologia Clínica pela Universidade de São Paulo; professor associado

do Programa de Pós-graduação em Psicologia Experimental do Instituto de Psicologia da USP; bolsista nível 1 do CNPq; consultor do Inep-MEC e SEESP-Capes; co-autor de livros como *Dicionário de Libras* (5a. ed.) e *Enciclopédia da Libras* (19 vols.), *Problemas de leitura e escrita* (5a. ed.), Alfabetização: *Método fônico* (4. ed.), *Alfabetização fônica* (2a. ed.), *Alfabetização infantil* (2a. ed.), *Alfabetização fônica computadorizada* (2a. ed.), *Neuropsicologia e aprendizagem* (2a. ed.), *Reabilitação cognitiva* (3 vols), *Psicolinguística cognitiva, Avaliação neuropsicológica*, entre outros.

Jane Correa
Professora associada do Departamento de Psicologia Geral e Experimental do Instituto de Psicologia da UFRJ; docente permanente da pós-graduação em Psicologia da UFRJ; pesquisadora nível 2 do CNPq; mestre em Psicologia Cognitiva pelo ISOP/ Fundação Getúlio Vargas-RJ; doutora em Psicologia do Desenvolvimento pela Universidade de Oxford, Inglaterra; estágio pós-doutoral (CAPES) no Instituto de Educação da Universidade de Londres, Inglaterra.

Márcia da Mota (organizadora)
Professora associada do Departamento de Psicologia da UFJF; coordenadora do Programa de Pós-graduação em Psicologia da UFJF; líder do Grupo de Pesquisa em Desenvolvimento Humano e Relações Interpessoais; mestre em Métodos de Pesquisa em Psicologia pela Universidade de Reading, Inglaterra; doutora em Psicologia do Desenvolvimento pela University of Oxford, Inglaterra.

Edições Loyola

impressão   acabamento
rua 1822 n° 347
04216-000 são paulo sp
T 55 11 2914 1922
F 55 11 2063 4275
www.loyola.com.br